# 武經七書

第二冊

〔春秋〕孫武 等 著
崇賢書院 釋譯

北京聯合出版公司

# 武經七書

第二冊

〔春秋〕孫武 等 著

崇賢書院 釋譯

北京聯合出版公司

機。善行間諜，輕兵往來，分散其衆，使其君臣相怨，上下相咎，是謂事機。車堅管轄，舟利櫓楫，士習戰陳，馬閑馳逐，是謂力機。知此四者，乃可爲將。然其威、德、仁、勇，必足以率下安衆，怖敵決疑。施令而下不敢犯，所在而寇不敢敵。得之國強，去之國亡。是謂良將。」

譯文 吳起說：「但凡用兵，有四個關鍵問題：一是掌握士氣，二是利用地理條件，三是使用計謀，四是提高戰鬥力。三軍將士，百萬大軍，部署得輕重得當與否，完全在於將領一人，這就是掌握士氣的關鍵。道路狹窄險要，高山要塞聳立，十個人把守，千人難以通過，這就是利用地理條件的關鍵。善於利用間諜離間敵人，派輕裝部隊反複侵擾敵軍，使其兵力分散，君臣互相怨恨，上下級相互責備，這就是使用計謀的關鍵。戰車車軸及插銷做得堅固，船隻的櫓、楫要便於使用，士卒熟習戰陣，戰馬熟習奔逐，這就是提高戰鬥力的



關鍵。瞭解以上四點，纔可以擔任將領。同時，將領的威信、德行、仁愛、勇敢都必須足以成爲全軍的表率，這樣纔能安撫士卒，威懾敵軍，解決疑難問題。這樣的將領發出命令，下屬不敢違犯；所到之處，敵寇不敢抵抗。得到這樣的將領，國家就會強盛；失去這樣的將領，國家就會衰亡。這就稱爲良將。」

原文 吳子曰：「夫鼙鼓金鐸，所以威耳；旌旗麾幟，所以威目；禁令刑罰，所以威心。耳威於聲，不可不清；目威於色，不可不明；心威於刑，不可不嚴。三者不立，雖有其國，必敗於敵。故曰：將之所麾，莫不從移；將之所指，莫不前死。」

譯文 吳起說：「鼙鼓金鐸，是用來威震耳朵的；旌旗麾幟，是用來威震眼睛的；禁令刑罰，是用來威懾心靈的。耳朵所受到的刺激來源於聲音，所以聲音不能不清楚；眼睛所受到的刺激來源於色彩，所以色彩不能不鮮明；心靈所受到的刺激來源於刑罰，所以刑罰不能不嚴格。一國之君如果做不到

這三點，即使擁有自己的國家，日後也必定會被敵國打敗。所以說：將帥所指的方向，士卒没有不奉命前往的；將帥所指的地方，士卒没有不拚死前進的。」

【原文】吳子曰：「凡戰之要，必先占其將而察其才。因形用權，則不勞而功舉。其將愚而信人，可詐而誘；貪而忽名，可貨而路；輕變無謀，可勞而困；上富而驕，下貧而怨，可離而間；進退多疑，其衆無依，可震而走；士輕其將而有歸志，塞易開險，可邀而取；進道易，退道難，可來而前；進道險，退道易，可薄而擊；居軍下濕，水無所通，霖雨數至，可灌而沈；居軍荒澤，草楚幽穢，風飆數至，可焚而滅；停久不移，將士懈怠，其軍不備，可潛而襲。」

【譯文】吳起說：「作戰的一個重要事項，就是一定要先觀察敵軍將領，瞭解他的才幹。根據敵情而採取權變方法，這樣就可以不費太大力氣而取得成功。如果敵將愚蠢而又容易相信別人，可以用欺詐手段引誘他；如果敵將貪婪而不顧名節，可以用財貨賄賂他；如果敵將輕舉妄動而缺少謀略，可以騷擾敵軍而使其疲勞睏頓；敵軍上級富貴而驕横，下級貧窮而心懷怨恨，可以對其進行離間；敵將進退多疑，部衆無所適從，可以用我軍的威勢震懾他們，使其逃走；敵軍士卒輕視將領而有回家的願望，可以堵住平坦的大路，讓開險峻之地使其通行，並設下伏兵截擊取勝；敵軍前進的道路平坦，撤退的道路難行，可以引誘他們前來；敵軍前進的道路艱險，而撤退的道路平坦，可以逼近他們，然後發起攻擊；敵軍處於低窪潮濕的地方，積水無處排泄，又趕上大雨連綿，可以引水將其淹没；敵軍處於荒野沼澤地，草木長得十分茂盛，又多有狂風颳過，可以用火攻的方法將其消滅；敵軍長時間停留於一處而不移動，將士懈怠，失去戒備，可以派兵偷襲他們。」

原文 武侯問曰：「兩軍相望，不知其將，我欲相之，其術如何？」

起對曰：「令賤而勇者，將輕銳以嘗之。務於北，無務於得，觀敵之來，一坐一起。其政以理，其追北佯爲不及，其見利佯爲不知，如此將者，名爲智將，勿與戰矣。若其衆讙嘩，旌旗煩亂，其卒自行自止，其兵或縱或橫，其追北恐不及，見利恐不得，此爲愚將，雖衆可獲。」

譯文 魏武侯問道：「兩軍對峙，不知道敵軍將領的能力，我想要觀察、瞭解他，有什麼方法呢？」

吳起回答道：「讓職位低下卻英勇善戰的軍官率領精幹的輕裝部隊，對敵軍進行試探性的進攻。一定要讓他敗退，而不要求勝，以便觀察敵軍前來追擊的各種表現。如果敵軍指揮得秩序井然，前來追擊時假裝追不上，看到戰利品卻假裝沒看見，像這樣的指揮官，一定是智慧非凡的將領，不要與他交戰。如果敵軍喧嘩躁動，旗幟紛亂，士卒行動自由而沒有約束，兵器橫七豎八，追擊時唯恐追不上，見到戰利品唯恐得不到，像這樣的指揮官，一定是愚蠢的將領，即使人多勢衆，也可以將其擒獲。」



## 應變第五

原文 武侯問曰：「車堅馬良，將勇兵強，卒遇敵人，亂而失行，則如之何？」

起對曰：「凡戰之法，晝以旌旗旛麾爲節，夜以金鼓笳笛爲節。麾左而左，麾右而右。鼓之則進，金之則止。一吹而行，再吹而聚，不從令者誅。三軍服威，士卒用命，則戰無強敵，攻無堅陳矣。」

譯文 魏武侯問道：「我軍戰車堅固，戰馬優良，將領勇武，士卒強悍，

如果突然與敵人相遇，軍陣大亂，不成行列，該怎麼辦呢？」

吳起回答道：「一般的作戰方法是，白天用旌旗幡麾來指揮作戰，夜間用金鼓笳笛來指揮作戰。令旗指向左邊軍隊就向左移動，令旗指向右邊軍隊就向右移動。擊鼓表示前進，鳴金表示停止。第一次吹笛軍隊就要行動起來，第二次吹笛軍隊就要會合，不聽從命令者一律處死。三軍都懾服於威嚴，士卒都聽從軍令，這樣就沒有不能戰勝的強敵，沒有不能攻破的堅固軍陣。」

**原文** 武侯問曰：「若敵衆我寡，爲之奈何？」

起對曰：「避之於易，邀之於阨。故曰：以一擊十，莫善於阨；以十擊百，莫善於險；以千擊萬，莫善於阻。今有少卒卒起，擊金鳴鼓於阨路，雖有大衆，莫不驚動。故曰：用衆者務易，用少者務隘。」

**譯文** 魏武侯問道：「如果敵衆我寡，該怎麼辦呢？」





吳起回答道：「在平坦的地形上，一定要避免與敵軍交戰；在狹窄的地形上，要截擊敵軍。所以說：以一擊十，沒有比利用狹窄的地形更好的了；以十擊百，沒有比利用險要的地形更好的了；以千擊萬，沒有比利用阻絕的地形更好的了。現在有小部隊突然出動，在狹窄的道路上擊鼓鳴金，敵人雖然人多勢衆，也莫不驚慌失措，躁動不安。所以說：使用衆多兵力一定要選擇平坦的地形，使用少數兵力一定要選擇狹隘的地形。」

**原文** 武侯問曰：「有師甚衆，既武且勇，背大險阻，右山左水，深溝高壘，守以強弩，退如山移，進如風雨，糧食又多，難與長守，則如之何？」

起對曰：「大哉問乎！此非車騎之力，聖人之謀也。能備千乘萬騎，兼之徒步，分爲五軍，各軍一衢。夫五軍五衢，敵人必惑，莫知所加。敵若堅守以固其兵，急行間諜，以觀其慮。

國家能備車千乘，騎萬匹，兼之徒步，其法共一十萬衆也。可分為五軍，令一軍當一衢。衢，路也。夫五軍分為五衢，敵人必疑惑，莫知加我軍之處。

彼聽吾說，解之而去；不聽吾說，斬使焚書，分爲五戰。戰勝勿追，不勝疾歸。如是佯北，安行疾鬥。一結其前，一絕其後，兩軍銜枚，或左或右，而襲其處。五軍交至，必有其利，此擊強之道也。」

譯文

魏武侯問道：「敵軍衆多，既訓練有素又非常勇敢，背靠高山險阻，右面依山，左面臨水，有深溝高壘作爲防禦工事，以強弩防守，撤退時穩如大山移動，前進時疾如風雨來襲，糧食又非常充足，我軍難以與之長時間對峙，該怎麼辦呢？」

吳起回答道：「君上提出的是一個大問題啊！這並不是僅僅依靠車馬的力量就能解決的，而是要靠聖人般的謀略。如果能夠準備千乘戰車、萬名騎兵，再加上步兵，可以分爲五支軍隊，每支軍隊各從一個方向出擊。五支軍隊從五個方向出擊，敵人就會迷惑，不知道我軍將會從何處進攻。敵人如果用堅守的方法來穩固軍隊，我軍就應該儘快派遣間諜弄清楚敵軍的意圖。如果敵人聽從了我方使者的議和建議，雙方就可以各自撤兵；如果敵人不聽從使者的建議，斬殺了使者，焚毀我方的書信，那麼我軍就應該分兵五路與敵人交戰。如果我軍戰勝敵人，就不要追擊；如果我軍沒有戰勝敵人，就要迅速撤回。如果假裝敗退，一定要穩妥行動，迅速戰鬥。派一支軍隊牽制敵軍的前方，一支軍隊斷絕敵人的後路，再派兩支軍隊秘密行動，從左右兩側攻擊敵軍陣地。五路軍隊一齊到達，必定會取得有利態勢，這就是攻擊強敵的方法。」

原文

武侯問曰：「敵近而薄我，欲去無路，我衆甚懼，爲之奈何？」

起對曰：「爲此之術，若我衆彼寡，各分而乘之；彼衆我寡，以方從之。從之無息，雖衆可服。」

譯文

魏武侯問道：「敵人接近、逼迫我軍，我軍想要離開卻又沒有退路，士卒也十分恐懼，這該怎麼辦呢？」

吳起回答道：「應對這種問題的方法是：如果我眾敵寡，可以分兵出擊；如果敵眾我寡，就要集中兵力攻擊敵人。這樣，敵軍即使人數眾多，也會被我軍擊敗。」

武侯問曰：「若遇敵於溪谷之間，傍多險阻，彼眾我寡，為之奈何？」

起對曰：「遇諸丘陵、林谷、深山、大澤，疾行亟去，勿得從容。若高山深谷，卒然相遇，必先鼓譟而乘之，進弓與弩，且射且虜，審察其政，亂則擊之勿疑。」

魏武侯問道：「如果在溪谷之間與敵人相遇，兩旁多有險阻，且敵眾我寡，該怎麼應對呢？」

吳起回答道：「遇到丘陵、樹林、谷地、深山、大澤等險阻地形，應該迅速行軍，儘快離去，千萬不要遲緩。如果在高山深谷之中突然遇到敵人，一定要先擊鼓吶喊，乘勢攻擊敵人，要使用弓弩，一邊射殺敵人，一邊俘虜敵兵。觀察敵軍陣勢，如果敵陣混亂，就可果斷出擊，不必遲疑。」

武侯問曰：「左右高山，地甚狹迫，卒遇敵人，擊之不敢，去之不得，為之奈何？」

起對曰：「此謂谷戰，雖眾不用。募吾材士，與敵相當，輕足利兵，以為前行。分車列騎，隱於四旁，相去數里，無見其兵。敵必堅陳，進退不敢。於是出旌列旆，行出山外營之，敵人必懼。車騎挑之，勿令得休。此谷戰之法也。」

魏武侯問道：「左右兩側高山峰立，地形十分狹窄，在這樣的地方突然遇到敵人，既不敢進擊，又無法撤退，該怎麼辦呢？」

吳起回答道：「這種為一谷戰，即使士卒眾多也用不上。應該挑選武藝

山谷遇敵

如果在高山深谷之中突然遇到敵人，一定要先擊鼓吶喊，創造巨大的聲勢，然後乘勢攻擊敵人；並且要使用弓弩，一邊射殺敵人，一邊俘虜降兵。

超群的士卒與敵軍對抗，挑選行動敏捷、持有銳利兵器的士卒作爲前鋒。把戰車和騎兵隱藏在四週，與前鋒保持數里距離，不要顯露兵力。這樣一來，敵人必定會堅守陣地，不敢輕易進退。此時，我軍豎起戰旗，到山外安營，敵人必定恐懼。然後，我軍可以動用車騎兵向敵軍發起挑戰，不讓他們得到休息。這就是在山谷作戰的方法。」

**原文** 武侯問曰：「吾與敵相遇大水之澤，傾輪沒轅，水薄車騎，舟楫不設，進退不得，爲之奈何？」

起對曰：「此謂水戰，無用車騎，且留其旁。登高四望，必得水情。知其廣狹，盡其深淺，乃可爲奇以勝之。敵若絕水，半渡而薄之。」

**譯文** 魏武侯問道：「我軍與敵軍在湖泊、沼澤地帶相遇，車輪和車轅都淹沒在水中，大水逼迫著戰車和騎兵，又沒有準備船隻，我軍進退兩難，這時

山谷遇敵

如果在高山深谷之中突然遭遇敵人，一定要先擊鼓吶喊，創造巨大的聲勢，然後乘勢攻擊敵人，並且要使用弓弩，一邊射殺敵人，一邊擂鼓前行。

挑選有才能的士卒與敵軍對抗，選派行動輕捷、兵器銳利的士卒作為前鋒，把戰車和騎兵隱藏在四周，與前鋒相距數里遠，不要暴露兵力。這樣一來，敵人必定會堅守陣地，不敢輕易進退。此時，我軍豎起旗幟，到山外安營，敵人必定恐懼。然後，我軍可以動用車騎兵向敵軍發起挑戰，不讓他們得到休息。這就是在山谷作戰的方法。」

武侯問曰：「吾與敵相遇大水之澤，傾輪沒轅，水薄車騎，舟楫不設，進退不得，為之奈何？」

起對曰：「此謂水戰，無用車騎，且留其旁。登高四望，必得水情，知其廣狹，盡其淺深，乃可為奇以勝之。敵若絕水，半渡而薄之。」

魏武侯問道：「我軍與敵軍在湖泊、沼澤相遇，車輪和車轅都淹沒在水中，大水逼近車騎，又沒有準備船隻，進退兩難，這時該怎麼辦呢？」

吳起回答道：「這稱爲『水戰』，無法使用戰車和騎兵，暫且把它們留在岸邊。登上高處四下觀望，一定要掌握水情。瞭解水面的寬窄，探明水的深淺，然後纔可以出動奇兵戰勝敵人。如果敵人渡水而來，要等他們渡過一半的時候再發起攻擊。」

**原文** 武侯問曰：「天久連雨，馬陷車止，四面受敵，三軍驚駭，爲之奈何？」

起對曰：「凡用車者，陰濕則停，陽燥則起，貴高賤下，馳其強車。若進若止，必從其道。敵人若起，必逐其跡。」

**譯文** 魏武侯問道：「連日下雨，車馬陷於泥濘的道路不能前進，四面受到敵人威脅，三軍將士驚慌失措，該怎麼辦呢？」

吳起回答道：「但凡用戰車作戰，遇到陰雨潮濕的天氣就應當停止前進，遇到天晴地乾的天氣就加緊行動，行軍之地宜高不宜低，要讓堅固的戰車急速行駛。不論前進還是停止，一定要遵循上述原則。敵軍的車馬如果有所行動，一定要跟蹤其車轍的去向。」

**原文** 武侯問曰：「暴寇卒來，掠吾田野，取吾牛羊，則如之何？」

起對曰：「暴寇之來，必慮其強，善守勿應。彼將暮去，其裝必重，其心必恐，還退務速，必有不屬。追而擊之，其兵可覆。」

**譯文** 魏武侯問道：「強暴的敵寇突然襲來，掠奪我們田野上的莊稼，搶奪我們的牛羊，該怎麼辦呢？」

吳起回答道：「強暴的敵寇前來劫掠，我們一定要考慮對方的強大，要妥善防守而不可輕易應戰。對方在傍晚撤走時，其裝備一定十分沈重，心裏一

定十分恐慌，力求迅速撤回，這樣一來，敵軍一定會有前後聯絡不到之處。在這個時候對其發起攻擊，就可以將其殲滅了。」

原文 吳子曰：「凡攻敵圍城之道，城邑既破，各入其宮，御其祿秩，收其器物。軍之所至，無刊其木、發其屋、取其粟、殺其六畜、燔其積聚，示民無殘心。其有請降，許而安之。」

譯文 吳起說：「通常攻擊敵人、圍困城池的原則是，城邑攻破以後，軍隊要分別進入敵國的官邸，對其官員加以控制，收繳他們的器物。軍隊所到之處，不准砍伐樹木，不准拆毀房屋，不准奪取糧食，不准宰殺牲畜，不准燒毀積聚的物資，要向百姓表示自己沒有殘暴之心。敵人如果請求歸降的，應該批准並加以安撫。」

## 勵士第六

原文 武侯問曰：「嚴刑明賞，足以勝乎？」

起對曰：「嚴明之事，臣不能悉。雖然，非所恃也。夫發號佈令而人樂聞，興師動眾而人樂戰，交兵接刃而人樂死。此三者，人主之所恃也。」

譯文 魏武侯問道：「做到賞罰嚴明，就足以取勝嗎？」

吳起回答道：「賞罰嚴明的事，我不能說得十分詳盡。儘管這是取勝的重要條件，但也不能完全依靠它。發號施令而人們樂於聽從，興師動眾而人們樂於參戰，兩軍交兵而人們樂於效死。這三點，纔是君主應該依靠的取勝條件。」

原文 武侯曰：「致之奈何？」

對曰：「君舉有功而進饗之，無功而勵之。」

譯文 魏武侯問道：「如何纔能做到這三點呢？」

吳起回答道：「君上選拔有功之人並設酒宴款待他們，並對無功之人加以

勉勵。」

原文

於是武侯設坐廟廷，爲三行饗士大夫。上功坐前行，肴席，兼重器上牢；次功坐中行，肴席，器差減；無功坐後行，肴席，無重器。饗畢而出，又頒賜有功者父母妻子於廟門外，亦以功爲差。有死事之家，歲遣使者勞賜其父母，著不忘於心。行之三年，秦人興師，臨於西河。魏士聞之，不待吏令，介冑而奮擊之者以萬數。

譯文

於是，魏武侯在宮廷正殿設置坐席，大擺酒宴，分三排宴請士大夫。立下上等功勛的人坐在前排，用肉食款待，使用貴重的餐具，牛、羊、豬三牲俱全；立下次一等功勛的人坐在第二排，用肉食款待，餐具略次一等；無功者坐在最後一排，也用肉食款待，但沒有貴重的餐具。酒宴結束，衆人出來以後，又在殿外給有功之人的父母、妻子、兒女頒發獎賞，也要按照功勞大小區分檔次。對於爲國事獻身的將士的家屬，每年都要派使者前去慰問、賞賜他們的父母，以表示君主心中並沒有忘記他們。

這一政策實行三年之後，秦國出兵伐魏，軍隊直逼西河一帶。魏國士卒聽說之後，不等軍官下令就穿戴盔甲奮勇抗敵的有萬人之多。



原文

武侯召吳起而謂曰：「子前日之教行矣。」

起對曰：「臣聞人有短長，氣有盛衰。君試發無功者五萬人，臣請率以當之。脫其不勝，取笑於諸侯，失權於天下矣。今使一死賊伏於曠野，千人追之，莫不梟視狼顧。何者？恐其暴起而害己也。是以一人投命，足懼千夫。今臣以五萬之衆而爲一死賊，率以討之，固難敵矣。」

於是武侯從之，兼車五百乘，騎三千匹，而破秦五十萬衆。此勵士之功也。

【譯文】魏武侯召見吳起，對他說：「您從前教我的辦法，現在看來果然行之有效。」

吳起說：「我聽說每個人都有自己的短處和長處，士氣也有旺盛和衰落的時候。君上可以嘗試調遣五萬名沒有立過軍功的士卒，由我率領去抵擋秦軍。倘若沒能取勝，就會被諸侯取笑，並且在天下喪失權威，所以我非贏不可。假使有一個不怕死的賊人潛藏在曠野之中，派一千人追捕他，那麼這一千人沒有不瞻前顧後、小心翼翼的。這是爲什麼呢？就是因爲他們都害怕賊人突然跳起來傷害自己。所以，一個人拚起命來，足以令千人畏懼。如今我使用這五萬士卒就像是使用一個拚命的賊人一樣，率領這樣的軍隊去討伐敵寇，敵軍自然難以抵擋。」

於是魏武侯聽從了吳起的建議，並增派了五百輛戰車、三千匹戰馬，結果大破秦軍五十萬人。這就是激勵士氣的結果。

【原文】**先戰一日，吳起令三軍曰：「諸吏士當從受敵。車、騎與徒，若車不得車，騎不得騎，徒不得徒，雖破軍，皆無功。」故戰之日，其令不煩而威震天下。**

【譯文】在開戰的前一天，吳起向三軍下令說：「諸位將士應當聽我的命令迎擊敵人。不論是車兵、騎兵還是步兵，如果車兵不能繳獲敵人的戰車，騎兵不能俘虜敵人的騎兵，步兵不能俘虜敵人的步兵，那麼即便擊敗了敵軍，也不算立有戰功。」所以到了交戰的那一天，吳起發佈的軍令並不繁雜，而他率領的軍隊卻威震天下。

# 司馬法

[春秋]司馬穰苴 著

# 司馬法

[春秋]司馬穰苴 著

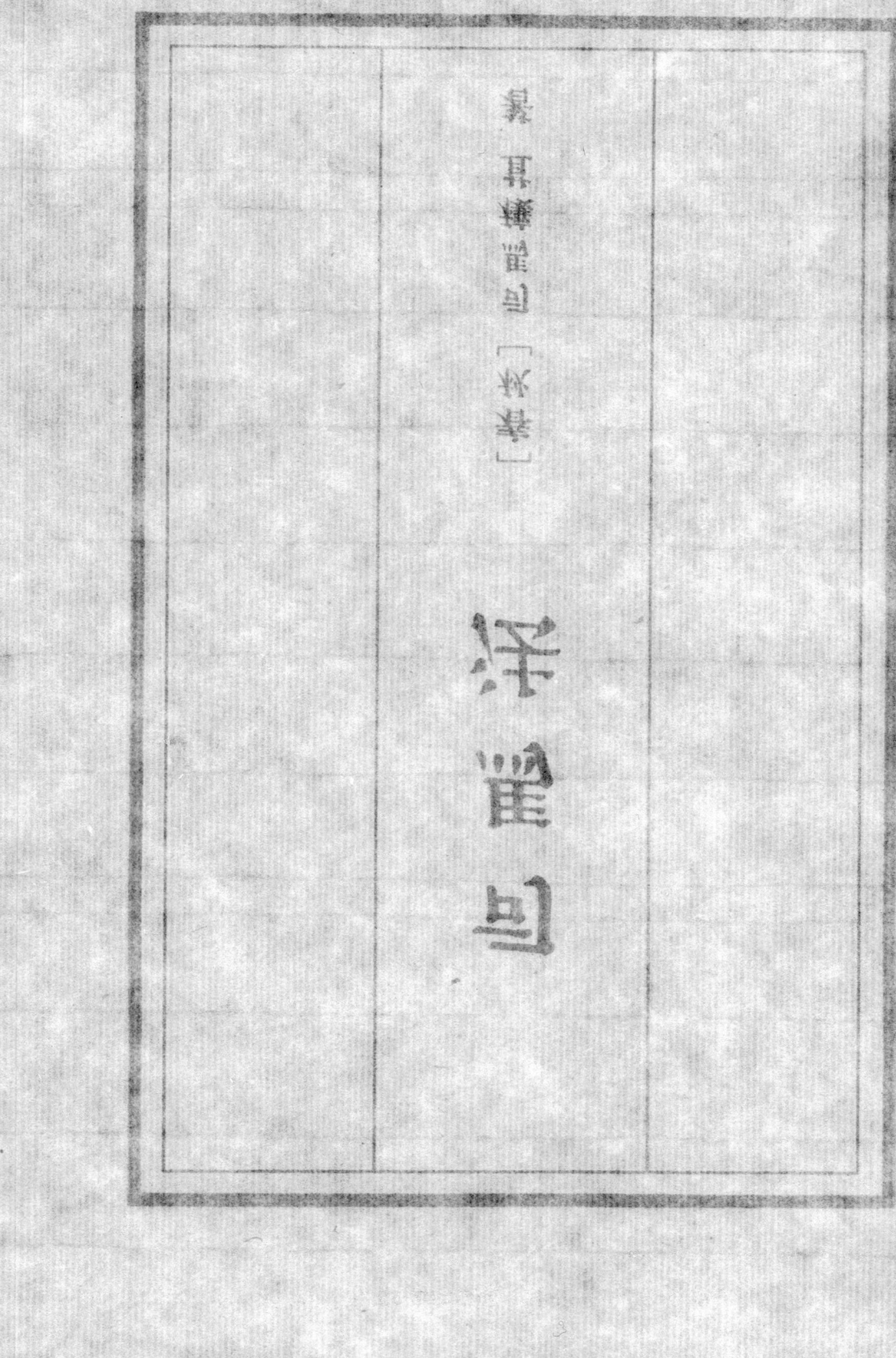

**綜述** 《司馬法》，我國古代著名兵書，也稱《司馬穰苴兵法》、《古司馬兵法》、《軍禮司馬法》。相傳爲司馬穰苴所作，成書於戰國時期。司馬穰苴，田姓，春秋時齊國人。

《司馬法》原本是西周時期關於軍禮、軍法的彙編。在戰國中期，齊威王命令大夫追論《司馬兵法》，因此將司馬穰苴的一些言論匯集其中，形成後來的《司馬法》。

《司馬法》流傳至今已經兩千多年，大多亡佚，如今僅殘存《仁本》、《天子之義》、《定爵》、《嚴位》、《用衆》五篇。但是在這僅存的五篇中，記載了從殷周到春秋、戰國時期的很多作戰原則以及作戰方法，我們可以從中瞭解那個時期的軍事思想。《仁本》主要論述了以仁爲本的戰爭觀。《天子之義》闡釋了關於軍事教育的各種原則。《定爵》說明了爲開展戰爭而進行的政治、思想、物資等條件的準備以及如何更好地運用不同的陣法。《嚴位》闡釋了不



同陣法的結構及怎樣在戰爭中運用不同的陣式。《用衆》主要說明了臨陣待敵、用衆用寡、擊虛避實等策略。

# 卷上

## 仁本第一

**原文** 古者以仁爲本，以義治之之謂正。正不獲意則權。權出於戰，不出於中人。是故殺人安人，殺之可也；攻其國，愛其民，攻之可也；以戰止戰，雖戰可也。故仁見親，義見說，智見恃，勇見方，信見信。內得愛焉，所以守也；外得威焉，所以戰也。

**譯文** 古時候，人們以仁愛作爲根本，用合乎禮儀規範的方法去治理國家，這就是正規的途徑。如果用正規的途徑不能達到目的，就要用權變的方法。權變是出於戰爭的需要，而不是出於忠信和仁愛。所以，如果殺掉一個人就

可以安定其他人，那麼殺掉他也是可以的；如果攻打一個國家而愛護該國的百姓，那麼攻打這個國家也是可以的；如果用戰爭手段可以制止戰爭，那麼即使發動了戰爭，也是可以的。所以，仁愛會使人親近，正義會使人悅服，智慧會使人信賴，勇敢會使人傚彷，誠信會使人信任。在國內得到愛戴，可以用來守衛國土；在國外得到威勢，可以用來作戰。

**原文**

**戰道：不違時，不歷民病，所以愛吾民也；不加喪，不因凶，所以愛夫其民也；冬夏不興師，所以兼愛其民也。故國雖大，好戰必亡；天下雖安，忘戰必危。天下既平，天子大愷，春蒐秋獮，諸侯春振旅，秋治兵，所以不忘戰也。**

**譯文**

發動戰爭的原則是：不違背農時，不在民衆疾病流行的時候發動戰爭，這樣做是爲了愛護本國百姓；不在敵國舉行國喪的時候發動攻擊，不在敵國遇到災年的時候發動攻擊，這樣做是爲了愛護敵國的百姓；冬夏兩季

夏禹

古時候，人們以仁愛作爲根本。夏代的開國之君禹得到天下是由於仁愛，末代君主桀失去天下則是因爲不施行仁政。天子要是不仁，就不能保住天下；諸侯要是不仁，就不能保住國家；士子和老百姓要是不仁，就不能保全自己的身體。

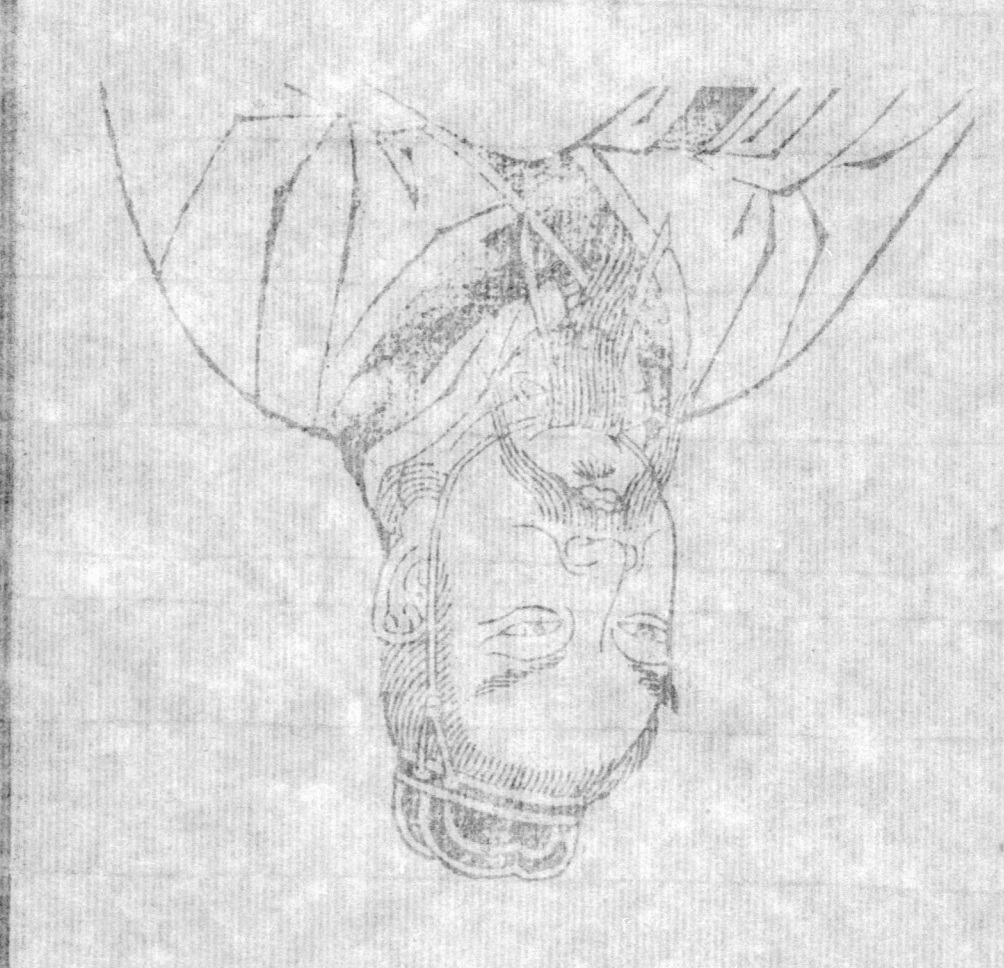

辭讓之心，禮之端也，蓋良心發見而不可掩者。逐奔不過百步，縱綏不過三舍，非惟恐傷我之兵，又矜彼之敗，不忍务兵逐之，是又讓之大者，乃所以明其禮也。惟仁義之兵如此，若後世乘人之敗，有不解甲三日而追之者，非明禮之道也。

大寒大暑，不興師作戰，這樣做是爲了兼愛敵我兩國的百姓。所以，國家即便十分強大，如果君主好戰，國家必然會滅亡；天下即使太平無事，如果忘記備戰，國家也必然危險。即使天下已經平定，天子舉行了盛大的凱旋儀式，但每到春秋兩季，還是要進行田獵練兵；各國諸侯也要在春季整頓軍隊，在秋季舉行實戰演習，這樣做都是爲了不忘記備戰。

原文

**古者，逐奔不過百步，縱綏不過三舍，是以明其禮也；不窮不能而哀憐傷病，是以明其仁也；成列而鼓，是以明其信也；爭義不爭利，是以明其義也；又能捨服，是以明其勇也；知終知始，是以明其智也。六德以時合教，以爲民紀之道也，自古之政也。**

譯文

古時作戰，追擊敗退的敵人不超過百步，追擊不戰而退的敵人不超過九十里，這樣做是爲了彰明禮節；不過分逼迫喪失戰鬥力的敵人，並哀憐傷病的士卒，這樣做是爲了彰明仁愛；列好軍陣以後再擊鼓進軍，這樣做是爲了彰明誠信；與敵人爭奪是非大義而不爭奪小利，這樣做是爲了彰明正義；又能夠赦免降服的敵人，這樣做是爲了彰明勇武；明察戰爭的起因和結束，這樣做可以彰明智慧。用「禮」、「仁」、「信」、「義」、「勇」、「智」這六種德行因時施教，作爲治理百姓的方法，是自古就有的管理原則。

原文

**先王之治，順天之道，設地之宜，官民之德，而正名治物，立國辨職，以爵分祿，諸侯說懷，海外來服，獄弭而兵寢，聖德之治也。**

譯文

古代先王治理天下，順應天道，合乎地利；任用有道德的百姓爲官，並確定官職名分；分封諸侯，設官分職，根據爵位區分俸祿；令諸侯內心悅服，令番邦前來臣服納貢；平息訟案，停止用兵。這就是聖王用仁德治理天下的情況。

【原文】其次，賢王制禮樂法度，乃作五刑，興甲兵以討不義，巡狩省方，會諸侯，考不同。其有失命、亂常、背德、逆天之時，而危有功之君，遍告於諸侯，彰明有罪。乃告於皇天上帝日月星辰，禱於后土四海神祇山川冢社，乃造於先王。然後冢宰徵師於諸侯曰：「某國爲不道，征之，以某年月日師至於某國，會天子正刑。」冢宰與百官佈令於軍曰：「入罪人之地，無暴神祇，無行田獵，無毀土功，無燔牆屋，無伐林木，無取六畜、禾黍、器械。見其老幼，奉歸勿傷；雖遇壯者，不校勿敵；敵若傷之，醫藥歸之。」既誅有罪，王及諸侯修正其國，舉賢立明，正復厥職。

【譯文】比聖王略次一等的賢王制定了禮樂法度，創立了五種刑罰，出動軍隊討伐違背正義的行爲，到各地巡視諸侯領地，並會見諸侯，考察他們是否





有違反法制的行爲。如果諸侯有失職、違反常規、違背道德規範、不順應天時的行爲，並且威脅到有功德的君主，這時就要遍告諸侯，公佈其罪狀。於是，上告於上天的一切神靈，祈禱於地下的一切神靈，並告祭死去的先王。然後，冢宰向各諸侯國發佈徵調軍隊的命令：「某諸侯國違背道義，所以要派兵征討，軍隊要在某年某月某日到達某國，等待天子對犯罪的諸侯予以懲罰。」冢宰與百官在軍中發佈命令：「進入罪人的領地之後，不要侮辱他們的神祇，不要進行田獵活動，不要破壞他們的土木工程，不要焚燒他們的房屋，不要砍伐林木，不要掠取他們的家畜、穀物以及各種器具。發現他們的老人和孩子，要負責送回家去，不要傷害他們；遇到強壯者，如果對方不抵抗，就不要把他們當成敵人來對待；敵人如果受傷，應當對其進行治療，並送他們回去。」誅滅有罪之人以後，賢王和諸侯還要共同整頓好這個國家，選用賢能之士，冊立明君，恢復各級官職。

原文　王霸之所以治諸侯者六：以土地形諸侯，以政令平諸侯，以禮信親諸侯，以材力說諸侯，以謀人維諸侯，以兵革服諸侯。同患同利以合諸侯，比小事大以和諸侯。

譯文　天子和方伯治理諸侯的方法有六種：用土地來分封諸侯，用政令來均衡諸侯，用禮儀、信義來親近諸侯，用才能來悅服諸侯，依靠宗主來維繫諸侯，用武力懾服諸侯。同患難，共獲利，以團結諸侯；親近小國，事奉大國，以協調諸侯。

原文　會之以發禁者九：憑弱犯寡則眚之，賊賢害民則伐之，暴內淩外則壇之，野荒民散則削之，負固不服則侵之，賊殺其親則正之，放弑其君則殘之，犯令陵政則杜之，外內亂、禽獸行則滅之。

譯文　會合諸侯，發佈以下九條禁令：對於恃強淩弱、以衆欺寡的諸侯，要削減其實力；對於殘害賢人和人民的諸侯，要對其進行討伐；對於內施暴政、對外侵略的諸侯，要將其除掉；對於國內田野荒蕪、百姓離散的諸侯，要削減其土地；對於依仗險阻，不服從天子命令的諸侯，要對其進行征討；對於以不正當手段殺害親屬的諸侯，要將其正法；對於放逐、殺害君主的人，要將其誅滅；對於違反政令、破壞法紀的諸侯，要與他斷絕來往，以使其孤立；對於在家族內外行淫亂之事，違背倫理，如同禽獸的諸侯，要將其徹底消滅。

## 天子之義第二

原文　天子之義，必純取法天地，而觀於先聖。士庶之義，必奉於父母而正於君長。故雖有明君，士不先教，不可用也。

譯文　天子正確的行爲準則，一定要完全取法於天地，同時要藉鑒於古代聖王。士民正確的行爲準則，一定要尊奉父母而歸於君長的正道。所以，即使

天子穆穆，諸侯皇皇，丈夫濟濟，士子蹌蹌，揖讓進退，陛降跪拜，周旋中規，折旋中矩，此國容也，所以不可入於軍。武夫前呵，壯士後隨，旌旗麾幟，金鼓笳笛，生作進退，分合解結，此軍容也，所以不可入於國。



有了賢明的君主，如果士民沒有預先經過教化，是不能使用的。

**原文** 古之教民，必立貴賤之倫經，使不相陵。德義不相踰，材技不相掩，勇力不相犯，故力同而意和也。

**譯文** 古代君主教育民衆，必定會確立尊卑貴賤的倫理道德規範，使上下級之間不相互侵犯。使道德和義務不互相踰越，使才能和技藝不相互掩蓋，使有勇氣和力量的人不違抗法令。這樣一來，人們纔能同心協力。

**原文** 古者，國容不入軍，軍容不入國，故德義不相踰。上貴不伐之士，不伐之士，上之器也。苟不伐則無求，無求則不爭。國中之聽，必得其情；軍旅之聽，必得其宜，故材技不相掩。從命爲士上賞，犯命爲士上戮，故勇力不相犯。既致教其民，然後謹選而使之。事極修，則百官給矣；教極省，則民興良矣；習慣成，則民體俗矣。教化之至也。

孔子

孔子，春秋末期的思想家、教育家和政治家，儒家思想的創始人，對我國後世文化產生極大影響。他十分重視禮儀倫常，而這正是君主教化民眾不可或缺的道德規範。

有[illegible]明的君主，[illegible]是不能使用的。

【原文】古之教民，必立貴賤之倫經，使不相陵。德義不相踰，材技不相掩，勇力不相犯，故力同而意和也。

【譯文】古代君主教育民衆，必定會確立尊卑貴賤的倫理道德規範，使上下級之間不相互侵犯。使道德和義務不互相逾越，使才能和技藝不相互掩[illegible]，使有勇氣和力量的人不違背法令。這樣一來，人們就能同心協力。

【原文】古者，國容不入軍，軍容不入國，故德義不相踰。上貴不伐之士，不伐之士，上之器也。苟不伐則無求，無求則不爭。國中之聽，必得其情；軍旅之聽，必得其宜。故材技不相掩。從命爲士上賞，犯命爲士上戮，故勇力不相犯。既致教其民，然後謹選而使之。事極修，則百官給矣；教極省，則民興良矣；習貫成，則民體俗矣。教化之至也。

孔子

孔子，春秋末期的思想家、教育家和政治家，儒家思想的創始人，對我國後世文化產生極大影響。他十分重視禮儀倫常，而這正是君主教化民衆不可或缺的道德規範。

譯文

古時候，朝廷的儀容不能入於軍中，軍中的儀容不能入於朝廷，所以道德與義務不相踰越。君主敬重那些不自我誇耀的人，那些不自我誇耀的人正是君主所需要的寶貴人才。如果不自我誇耀，就說明他沒有奢求；沒有奢求，就說明他不會爭名逐利。在朝堂上聽取這些人的意見，就一定可以掌握真實情況；在軍中聽取這些人的意見，就一定會使事情得到妥善解決。這樣，懷有才能、技藝的人就不會被埋沒了。對服從命令的人要予以重賞，對違抗命令的人要予以重罰，這樣，勇武有力的人就不敢抗命了。對民衆進行教育之後，再慎重地選拔、任用他們。如果各項事務都能夠妥善處理，那麼百官的人選也就齊備了；教育、訓練極其簡明扼要，那麼百姓就會人心向善；良好的習慣養成以後，百姓就會按照習俗身體力行。這就是最好的教化成果。

原文

**古者，逐奔不遠，縱綏不及。不遠則難誘，不及則難陷。以禮爲固，以仁爲勝。既勝之後，其教可復，是以君子貴之也。**

譯文

古代作戰的時候，追擊敗軍不會太遠，追蹤不戰而退的敵軍也不會迫近。追擊不遠，就難以被敵人引誘；不迫近敵軍，就難以陷入敵人的圈套。以禮制爲規範，就可以使軍隊得到鞏固；以仁愛爲宗旨，就可以取得勝利。取勝之後，這種方法還可以反復使用，所以君子非常看重這一點。

原文

**有虞氏戒於國中，欲民體其命也。夏后氏誓於軍中，欲民先成其慮也。殷誓於軍門之外，欲民先意以行事也。周將交刃而誓之，以致民志也。**

譯文

從前，有虞氏在國內告誡民衆，是爲了讓人們身體力行地執行命令。夏朝君主在軍中舉行誓師儀式，是爲了讓民衆事先做好思想準備。商朝君主在軍門外舉行誓師儀式，是爲了讓民衆事先瞭解作戰意圖，以便展開行動。周朝君主在即將與敵軍交戰的時候舉行誓師儀式，是爲了表達民衆的意志。

原文

**夏后氏正其德也，未用兵之刃，故其兵不雜。殷義也，**

始用兵之刃矣。周力也，盡用兵之刃矣。

【譯文】從前，有虞氏在國內告誡民衆，是爲了讓人們身體力行地執行命令。夏朝君主在軍中舉行誓師儀式，是爲了讓民衆事先做好思想準備。商朝君主在軍門外舉行誓師儀式，是爲了讓民衆事先瞭解作戰意圖，以便展開行動。周朝君主在即將與敵軍交戰的時候舉行誓師儀式，是爲了表達民衆的意志。

【原文】**夏賞於朝，貴善也。殷戮於市，威不善也。周賞於朝，戮於市，勸君子懼小人也。三王彰其德一也。**

【譯文】夏朝君主在朝廷上獎賞有功之人，是以勸人向善爲貴。商朝君主將罪人斬殺於街市，並陳屍示衆，是爲了警戒不善之人。周朝君主在朝廷上獎賞有功之人，在街市上斬殺罪人，是爲了勉勵君子而使小人畏懼。夏、商、周三代的開國之君向天下人彰顯道德的精神是一樣的。

【原文】**兵不雜則不利。長兵以衛，短兵以守。太長則難犯，太**



**短則不及。太輕則鋭，鋭則易亂；太重則鈍，鈍則不濟。**

【譯文】兵器如果不搭配使用，就難以發揮威力。長兵器是用來掩護短兵器的，短兵器是用於近身防禦的。兵器太長就難以操控，太短就打擊不到敵人。兵器太輕，使用起來固然輕便靈活，但是也容易産生混亂；兵器太重，就顯得遲鈍，這樣就難以發揮殺敵的作用。

【原文】**戎車，夏后氏曰鈎車，先正也；殷曰寅車，先疾也；周曰元戎，先良也。旂，夏后氏玄首，人之執也；殷白，天之義也；周黄，地之道也。章，夏后氏以日月，尚明也；殷以虎，尚威也；周以龍，尚文也。**

【譯文】戰車，夏朝稱爲鈎車，首先注重的是行駛平穩；商朝稱爲寅車，首先注重的是行動輕快、迅捷；周朝稱爲元戎，首先注重的是製作精良。旗幟，夏朝爲黑色，象徵人多勢衆；商朝爲白色，象徵青天；周朝爲黄色，象徵大

軍旅以舒緩爲主，舒緩則民力足用。古者師行日三十里，是舒則民力足矣。

地。章，夏朝用日月的形狀，以表示崇尚光明；商朝用虎的形狀，以表示崇尚威武；周朝用龍的形狀，以表示崇尚文采。

**原文** 師多務威則民詘，少威則民不勝。上使民不得其義，百姓不得其叙，技用不得其利，牛馬不得其任，有司陵之，此謂多威。多威則民詘。上不尊德而任詐慝，不尊道而任勇力，不貴用命而貴犯命，不貴善行而貴暴行，陵之有司，此謂少威。少威則民不勝。

**譯文** 治軍如果刻意樹威，民衆就會受拘束；如果缺少威嚴，民衆又無法剋敵制勝。君主使用民力不當，百姓就沒有秩序可依，有技藝的人就不能發揮其作用，牛馬就不能合理地負載貨物，官吏就會欺淩下屬。這就是刻意樹威的弊端。如果刻意樹威，人們就會大受拘束。君主不尊崇有德之人，卻任用奸詐、邪惡之流；不尊崇有道之人，卻任用恃勇逞強之徒；不重用聽從命令之人，卻重用違抗法令之輩；不以善良的行爲爲貴，卻以暴虐的行爲爲貴，使下屬欺淩上級官吏。這就是缺乏威嚴的弊端。如果缺乏威嚴，民衆就無法剋敵制勝。

**原文** 軍旅以舒爲主，舒則民力足。雖交兵致刃，徒不趨，車不馳，逐奔不踰列，是以不亂。軍旅之固，不失行列之政，不絕人馬之力，遲速不過誡命。

**譯文** 軍隊行動要以從容、舒緩爲主，這樣纔能使士卒保存充足的體力。即使與敵軍交戰，步兵也不要快走，戰車也不疾馳，追擊逃跑的敵人也不要超越規定的行列。祇有這樣，隊形纔不會混亂。軍隊的穩固，關鍵在於不打亂陣列的部署，不耗盡人馬的力量，行動的快慢不超過軍令規定的範圍。

**原文** 古者，國容不入軍，軍容不入國，則民德廢；國容入軍，則民德弱。故在國言文而語溫，在朝恭以遜，

修己以待人，不召不至，不問不言，難進易退。在軍抗而立，在行遂而果，介者不拜，兵車不式，城上不趨，危事不齒。故禮與法，表裏也；文與武，左右也。

譯文 古時候，朝廷的儀容不能入於軍中，軍中的儀容不能入於朝廷。如果軍中的儀容入於朝廷，那麼民衆的良好德行就會廢弛；如果朝廷的儀容入於軍中，那麼士卒的德行又會過於文弱。所以，在朝廷上，說話要溫文爾雅，朝見君主時要恭謹謙遜；做到嚴於律己，寬以待人；君主不召見就不要前來，君主不詢問就不要發言；儘量不要朝前走，而要向後退，以示謙遜。在軍中，要保持昂首挺立的姿勢，在陣列中要行動果決；身穿鎧甲的人不必行跪拜之禮，兵車上的人不必行俯首之禮；在城上不必小步疾走以示恭敬，遇到危險時不必按照尊卑排列次序。所以，禮與法互爲表裏，文與武互爲左右。



原文 **古者賢王，明民之德，盡民之善，故無廢德，無簡民。賞無所生，罰無所試。有虞氏不賞不罰而民可用，至德也。夏賞而不罰，至教也。殷罰而不賞，至威也。周以賞罰，德衰也。賞不踰時，欲民速得爲善之利也。罰不遷列，欲民速睹爲不善之害也。**

譯文 古代賢明的君王，總是彰顯民衆的優良德行，盡用民衆的善行，所以不會廢棄德行，也不會出現怠惰之民。因此，獎賞無從產生，懲罰也無從施行。當初，有虞氏不施獎賞也不施懲罰，而民衆都能夠爲君主所用，這是德治的最高境界。夏朝施行獎賞而不施懲罰，這是因爲有了最好的教化。商朝實行懲罰而不施獎賞，是因爲有了強大的威勢。周朝賞罰並用，這是因爲道德已經衰落。獎賞不超過時限，是爲了讓人們儘快得到做好事的利益；懲罰就地執行，是爲了讓人們及時看到做壞事的危害。

原文 **大捷不賞，上下皆不伐善。上苟不伐善，則不驕矣；下**

韓信

歷史上依仗自己取得的勝利就誇耀戰功的人物不在少數，大多都沒有好下場。韓信就是一例。他在楚漢戰爭中，屢出奇謀，戰必勝，攻必剋，威震海內，名高天下，但卻不知激流勇退，反而好大喜功，居功自傲，終落得被劉邦夷滅三族的悲慘下場。



苟不伐善，必亡等矣。上下不伐善若此，讓之至也。大敗不誅，上下皆以不善在己。上苟以不善在己，必悔其過；下苟以不善在己，必遠其罪。上下分惡若此，讓之至也。

【譯文】取得重大勝利之後不須發獎賞，上下級就不會誇耀各自的戰功了。上級如果不誇耀戰功，就不會驕橫；下級如果不誇耀戰功，就不會有等級差別。上下級如果都能像這樣不誇耀戰功，那麼謙讓風氣就達到極致了。大敗之後不實行懲罰，上下級就都會認爲錯誤在自己身上。上級如果認爲錯誤在己，一定會反省悔過；下級如果認爲錯誤在己，以後一定會避免犯錯。上下級如果都能像這樣分擔錯誤，那麼謙讓的風氣就達到極致了。

【原文】古者戍軍，三年不興，睹民之勞也。上下相報若此，和之至也。得意則愷歌，示喜也。偃伯靈臺，答民之勞，示休也。

【譯文】古代戍守邊疆的軍人，服役一年之後，三年之內都不再被徵調，這

(画像は判読困難のため、本文の転写は省略します)

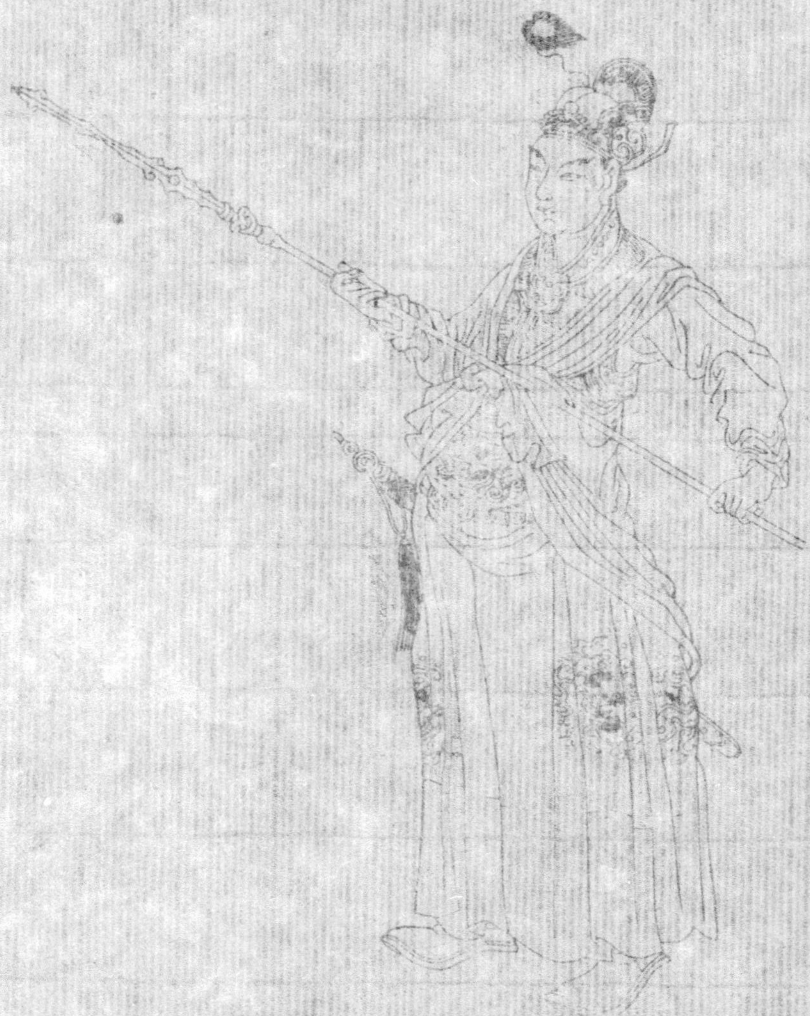

是因爲君主看到了他們的勞苦。上下級之間如果能像這樣互相報答，就是最爲和諧的表現。獲勝歸來之後演奏凱歌，以表達喜悅之情。爭霸戰爭結束以後高築靈臺，報答百姓的辛勞，這是表示將要休養生息。

## 卷中

### 定爵第三

【原文】凡戰，定爵位，著功罪，收遊士，申教詔，訊厥衆，求厥技，方慮極物，變嫌推疑，養力索巧，因心之動。

【譯文】但凡用兵作戰，都要確定爵位，昭明功罪，收納遊說之士，申明教令，徵詢民衆的意見，求取他們的技藝，分類比較、衡量，窮究事物的情狀，消除民衆的疑慮，蓄養精力，索求巧計，根據民心而採取行動。

【原文】凡戰，固衆相利，治亂進止，服正成恥，約法省罰，小罪乃殺，小罪勝，大罪因。




【譯文】但凡用兵作戰，都要穩固軍心，觀察有利的時機，整治散亂的秩序，申明進退的原則，服從正確的命令，對不符合命令的行爲懷有恥辱之心，精簡法令，減少懲罰。對小罪要加以制止，如果讓小罪得逞，那麼大罪就會隨之而來。

【原文】順天，阜財，懌衆，利地，右兵，是謂五慮。順天奉時。阜財因敵。懌衆勉若。利地，守隘險阻。右兵，弓矢禦，殳矛守，戈戟助。凡五兵五當，長以衛短，短以救長。迭戰則久，皆戰則強。見物與侔，是謂兩之。

【譯文】順應天道，增加財富，取悅於民，使地形利於作戰，重視兵器，這就是作戰時需要考慮的五種情況。順應天道，就是要遵循天時；增加財富，就是要從敵人手中奪取；取悅衆人，就是要對人們加以勉勵；使地形有利於

將帥之心固是心也，衆人之心亦是心也，言上下要同一心耳。馬所以戰，牛所以載。車，戰車也。兵，器仗也，佚，閑佚也。飽，充飽也。凡此皆欲齊其力也。

作戰，就是要固守險要地形；重視兵器，就是要用弓箭作遠距離防禦，用殳、矛作近距離防守，用戈、戟來輔助防守。這五種兵器各有其抵擋方式，要用長兵器來護衛短兵器，用短兵器來彌補長兵器的不足。各種兵器輪換使用就可以持久作戰，同時使用就可以增強殺傷力。見到敵人使用的兵器以後要採取相應的配置，這樣纔能與敵軍兩相對應。

原文 **主固勉若，視敵而舉。將心，心也；衆心，心也。馬牛車兵佚飽，力也。教惟豫，戰惟節。將軍，身也；卒，支也；伍，指拇也。**

譯文 君主不斷地勉勵民衆，通過觀察敵情來採取行動。將軍的心是心，士卒的心也是心，彼此之間應該同心協力。馬、牛要喂飽，戰車士卒要休息好，這樣纔能積蓄力量。訓練一定要素有準備，作戰一定要有所節制。將軍，就好比一個人的身體；士卒，就好比一個人的四肢；伍的編制，就好比一個人的手指和腳趾。

原文 **凡戰，智也；鬥，勇也；陳，巧也。用其所欲，行其所能，廢其不欲不能。於敵反是。**

譯文 但凡指揮作戰，都要依靠智謀；與敵人搏鬥，要依靠勇氣；排兵佈陣，要依靠技巧。要讓士卒做他們想要去做的事，讓他們根據自己的能力採取行動，同時要廢除他們不願意做、沒有能力去做的事。對於敵人，則要反其道而行之。

原文 **凡戰，有天，有財，有善。時日不遷，龜勝微行，是謂有天。衆有有，因生美，是謂有財。人習陳利，極物以豫，是謂有善。人勉及任，是謂樂人。**

譯文 但凡用兵作戰，都要有天時，有財貨，有利於作戰的條件。遇到有利時機一定不要錯過，占卜得到取勝的吉兆就要隱秘地行動，這就叫擁有天

時。民衆有其所有，能利用敵人之所有，這就叫擁有財貨。士卒熟習陣法之利，瞭解事物的情狀，又有所準備，這就叫擁有有利條件。人人都受到勉勵與信任，這就叫取悦於人。

**原文** 大軍以固，多力以煩，堪物簡治，見物應卒，是謂行豫。輕車輕徒，弓矢固禦，是謂大軍。密靜多內力，是謂固陳。因是進退，是謂多力。上暇人教，是謂煩陳。然有以職，是謂堪物。因是辨物，是謂簡治。

**譯文** 軍隊強大而陣形堅固，具有戰鬥力而又訓練有素，選用各類人才來掌管軍中各類事務，洞察敵方的實情以應付突發情況，這就稱爲行動有所準備。車兵、步兵行動起來都十分輕捷便利，弓箭足以固守陣地，這就稱爲軍隊強大。軍心穩定，軍隊實力雄厚，就稱爲軍陣堅固。利用這樣的軍陣前進後退，以應付敵軍，就稱爲具有戰鬥力。上級從容不迫，而又使士卒得到訓練，就稱爲訓練有素。各類事務都有職官來掌管，就稱爲勝任其事。藉助這些職官來分辨事務的輕重緩急，就稱爲簡化管理。

**原文** 稱衆，因地，因敵令陳；攻戰守，進退止，前後序，車徒因，是謂戰參。不服、不信、不和、怠疑、厭懾、枝拄、詘頓、肆、崩、緩，是謂戰患。驕驕、懾懾、吟曠、虞懼、事悔，是謂毀折。大小、堅柔、參伍、衆寡、凡兩，是謂戰權。

**譯文** 衡量自己的兵力，利用地形，根據敵情排兵佈陣；明確進攻、交戰、防守的要領，把握前進、後退、停止的時機，掌握軍陣前後的次序，使車兵、步兵配合協調，這就是臨戰之時需要考慮的問題。不服從、不信任、不和睦、猶疑不前、壓抑恐懼、相互抵觸、委屈睏頓、肆意妄爲、分崩離析、行動遲緩，這些都是作戰的禍患。驕傲自滿、驚慌失神、嘆息呼叫、憂慮恐懼、事後反悔，這些都是有可能導致軍隊毀滅的因素。勢力的大小、戰法的剛柔、參伍的編

制、兵力的多少以及兩方面的權衡比較，這些就是戰爭的權變之道。

【原文】凡戰，間遠觀邇，因時因財，貴信惡疑。作兵義，作事時，使人惠，見敵靜，見亂暇，見危難無忘其衆。居國惠以信，在軍廣以武，刃上果以敏。居國和，在軍法，刃上察。居國見好，在軍見方，刃上見信。

【譯文】但凡作戰，都要刺探、觀察遠方和近處的情況，憑藉天時而順應財力，崇尚誠信而杜絕猜疑。興兵作戰需要合乎正義，做事要合乎天時，用人要給予恩惠，遇到敵人要保持冷靜，遇到混亂局面要保持沈著，遇到危難不要忘記部衆。在國中要慈愛而又誠信，在軍中要寬容而又勇武，在兩軍交戰之時要果決而又機敏。在國中要講究和睦，在軍中要法紀嚴明，在兩軍交戰之時要明察敵情。在國中要爲民衆所愛戴，在軍中要爲部衆所傚法，在兩軍交戰之時要爲全軍將士所信賴。

【原文】凡陳，行惟疏，戰惟密，兵惟雜。人教厚，靜乃治。威利章，相守義，則人勉；慮多成，則人服。時中服，厥次治。物既章，目乃明。慮既定，心乃強。進退無疑，見敵無謀，聽誅。無誑其名，無變其旗。

【譯文】但凡排兵佈陣，都要做到平時陣列稀疏，戰時陣列密集，各種兵器配合使用。士卒要訓練有素，上級悠閒而軍隊卻得到治理。軍中賞罰嚴明，上下級都遵守信義，這樣人們就會相互勉勵；謀劃多次成功，這樣人們就會信服。時人心悅誠服，軍中之事就能夠依次辦好。旗幟鮮明，人們就會看得清楚。謀劃確定以後，信心就會增強。進退不小心謹慎，遇到敵人又沒有對策，這樣的人就應該予以嚴懲。不要亂用金鼓，不要隨意變更旗幟，以免造成指揮混亂。

【原文】凡事善則長，因古則行。誓作章，人乃強，滅厲祥。滅

**鄧禹**

鄧禹字仲華，南陽新野人，著名軍事家，東漢開國功臣，他治軍嚴謹，紀律嚴明，攻破城池後秋毫無犯，敵人都願意向他投降，百姓也願意歸附他。

凡事從於善則長久。因依古道則行之。誓告衆士，振作人心，章章明白，則人力乃強。又當滅息厲祥之事。滅厲祥即孫子所謂「禁祥去疑」是也。

厲之道，一曰義：被之以信，臨之以強，成基一天下之形，人莫不說，是謂兼用其人。一曰權：成其溢，奪其好，我自其外，使自其內。

**譯文** 凡是好事都會長久，遵循古法辦事就能行得通。戰鬥誓言要鮮明有力，這樣士氣纔會旺盛，敵人纔會被消滅。消滅敵人的方法有兩種，一是用道義：用誠信使人信服，用威勢使人畏懼，造成一統天下的形勢，這樣一來，人們莫不心悅誠服。這就是所謂的讓敵國之人爲我所用。二是權謀：促成敵人的自滿情緒，卻不迎合他們的偏好，我軍從外部對其加以攻擊，又從內部對其加以控制。

**原文** 一曰人，二曰正，三曰辭，四曰巧，五曰火，六曰水，七曰兵，是謂七政。榮、利、恥、死，是謂四守。容色積威，不過改意，凡此道也。

散敌意，乃为善也。

十曰死，最难于死。荣、辱、勇、怯，最难四也。容间苏频。不其后之势阵。

一曰人，二曰五，三曰辖，四曰屯，五曰火，六曰水。

【原文】

故三军之事，莫亲于间，赏莫厚于间，事莫密于间。非圣智不能用间，非仁义不能使间，非微妙不能得间之实。微哉微哉，无所不用间也。间事未发而先闻者，间与所告者皆死。

凡军之所欲击，城之所欲攻，人之所欲杀，必先知其守将、左右、谒者、门者、舍人之姓名，令吾间必索知之。

必索敌人之间来间我者，因而利之，导而舍之，故反间可得而用也。

封自其内。

莫不馈。最难兼用其人。一曰义：姝之以言，喜之以饯，夺基一天下之所，人

# 孙子兵书

## 用间篇

八十七

崇贤馆

**譯文** 一是廣納人才，二是整頓法紀，三是注重宣傳，四是講究作戰技巧，五是擅長火攻，六是熟習水戰，七是改良兵器。以上就是七種軍政大事。榮譽、利祿、羞恥、死亡，是四種維護法紀的手段。面容保持威嚴，不過於輕易地改變主意，都屬於維護軍中法紀的手段。

**原文** 唯仁有親，有仁無信，反敗厥身。人人，正正，辭辭，火火。

**譯文** 祇有心懷仁愛，纔能使人親近，但如果祇有仁愛而沒有信義，反而會自取失敗。用人要做到知人善任，整頓法紀要做到正人正己，宣傳要做到言辭準確，火攻要做到得其火勢。

**原文** 凡戰之道，既作其氣，因發其政。假之以色，道之以辭。因懼而戒，因欲而事，蹈敵制地，以職命之，是謂戰法。

**譯文** 通常的作戰原則是，鼓足士氣之後，接下來就應該下達軍令。要藉



助面部表情，利用言辭，把軍令內容告訴士卒。要利用士卒內心畏懼的東西對其加以告誡，用士卒希望得到的東西對其加以驅使。跟蹤敵人，控制有利地形，並根據職位的不同分別對其下達命令。這就是通常的戰法。

**原文** 凡人之形，由衆之求，試以名行，必善行之。若行不行，身以將之。若行而行，因使勿忘。三乃成章。人生之宜，謂之法。

**譯文** 凡是人們的楷模，都是從衆人當中選拔出來的。要考驗他們的名聲和操行，一定要讓他們努力去做事。如果他們做了，但沒有做到，就要以身作則來幫助他們。如果他們做了，並且做到了，就要讓他們牢牢記住，不可忘記。祇有經過這三個過程，事情纔能圓滿。凡是符合人性的制度，就稱爲法度。

**原文** 凡治亂之道：一曰仁，二曰信，三曰直，四曰一，五曰

[illegible]

[illegible]。人主之宜。

凡人之學。[illegible]

[illegible]

義，六曰變，七曰專。

【譯文】但凡治理紛亂的方法通常包括以下幾個方面：一是仁愛，二是信義，三是正直，四是專一，五是道義，六是權變，七是專斷。

【原文】立法：一曰受，二曰法，三曰立，四曰疾，五曰禦其服，六曰等其色，七曰百官宜無淫服。

【譯文】建立法制要遵循以下原則：一是要使人能夠接受，二是要法令嚴明，三是使法令不可動搖，四是執行起來要雷厲風行，五是對各級服制加以規定，六是根據等級區分顏色，七是百官著裝不得踰越等級規定。

【原文】凡軍，使法在己曰專，與下畏法曰法。軍無小聽，戰無小利，日成行微，曰道。

【譯文】凡是治理軍隊，法令完全出於將領的好惡，就稱爲專斷；上級與下級都畏懼法令，就稱爲法紀嚴明。軍中不得傳播虛妄之言，作戰不能貪圖小利，作戰的日期確定以後就要秘密行動，這就是治軍之道。



【原文】凡戰，正不行則事專，不服則法，不相信則一，若怠則動之，若疑則變之，若人不信上，則行其不復。自古之政也。

【譯文】但凡作戰，如果用常規辦法達不到目的，就要採取獨斷專行的方式；如果有人不服從命令，就要繩之以法；如果將士之間互不信任，就要統一認識；如果士卒怠惰，就要讓他們振作起來；如果士卒心存疑慮，就要設法改變這種狀況；如果士卒不信任上級，就一定要做到令出必行，絕無反複之意。這些都是自古就有的治軍原則。

# 卷下

## 嚴位第四

【原文】凡戰之道，位欲嚴，政欲栗，力欲窕，氣欲閒，心欲一。

凡卒伍之位，使在下之人分左分右，孫子教女兵分左右隊是也。又使在下人皆被甲而坐，若《春秋左氏傳》裏「被甲而坐」是也。誓戒既畢，使徐徐而行，若「四步五步六步七步乃止齊焉」是也。

【譯文】通常的作戰原則是：士卒在行列中的位置要嚴格而明確，政令要使人畏懼，用力要追求輕巧，情緒要輕鬆，心志要統一。

【原文】**凡戰之道，等道義，立卒伍，定行列，正縱橫，察名實。**

【譯文】通常的作戰原則是：按照道義標準把將士分爲高下等級，建立卒伍編製，確定行列順序，擺正縱橫隊列，瞭解旗鼓名號及其代表的意義。

【原文】**立進俯，坐進跪。畏則密，危則坐。遠者視之則不畏，邇者勿視則不散。位下左右，下甲坐，誓徐行之，位逮徒甲，籌以輕重。振馬噪，徒甲畏亦密之，跪坐，坐伏，則膝行而寬誓之。起噪，鼓而進，則以鐸止之。銜枚，誓，糗，坐，膝行而推之。執戮禁顧，噪以先之。若畏太甚，則勿戮殺，示以顏色，告之以所生，循省其職。**

【譯文】採用站立姿勢前進時要屈身低頭，採用坐姿前進時要直跪膝行。心中畏懼時要採用密集陣形，遇到危險時要採用坐姿。當敵軍距離我軍較遠時，要讓士卒觀察敵人，儘早瞭解敵情就不會畏懼；當敵人突然臨近我軍時，應該使士卒無視敵人，這樣士卒就會集中精力投入戰鬥。佈陣時，士卒應該按照左右順序排列。在屯兵防禦時，要採用坐陣。戰前約誓儀式要緩慢進行，並根據不同情況確定每一名士卒的位置。搖撼戰馬，使其嘶鳴。如果士卒畏懼，就採用密集陣形，使士卒中原本採用跪姿的改爲坐姿，使原本採用坐姿的改爲臥姿，然後用膝蓋跪著行進，緩慢地進行約誓。到了進攻的時候，就要由坐姿轉爲站姿，並且高聲叫喊，擊鼓前進。如果要停止進攻，就敲擊金鐸。軍隊在銜枚、誓師、喫飯時，都要採用坐姿，用膝蓋緩慢地移動。作戰時，要用殺戮來禁止顧盼不前的行爲，高聲喝令士卒前進殺敵。如果士卒過於畏懼，就不要殺戮，而要和顏悅色地示意他們，告訴他們可以得到寬赦的原因，使他們巡查各級職守，以盡其職。

將士鎧甲戰車



原文 凡三軍，人戒分日。人禁不息，不可以分食。方其疑惑，可師可服。

譯文 一般來說，三軍的戒備狀態持續不超過半天。禁令不解除，就不可以喫飯。當敵軍疑惑的時候，我軍就可以出兵將其降服。

原文 凡戰，以力久，以氣勝。以固久，以危勝。本心固，新氣勝。以甲固，以兵勝。凡車以密固，徒以坐固，甲以重固，兵以輕勝。

譯文 凡是作戰，都要靠力量長久堅持，靠勇氣取得勝利。依靠鞏固就可以持久，依靠危險環境就可以取勝。士卒有了樂於求戰的心理，就容易鞏固；擁有剛剛鼓起的勇氣，就會取得勝利。靠鎧甲來保護自己，靠兵器來取得勝利。凡是戰車採用密集陣形排列纔會鞏固，步兵採用坐陣纔有利於固守。鎧甲厚重纔會堅固，兵器輕利纔有利於取勝。

[illegible]士鎧甲戰車



凡三軍，人戒分日。人禁不息。不可以分食。方其疑惑，可師可服。

一[illegible]未齊。三軍[illegible]。[illegible]平天。[illegible]不[illegible]。就以[illegible]食。[illegible]軍[illegible]可以[illegible]其[illegible]。

凡戰。以力久。以氣勝。以固久。以危勝。本心固。新氣勝。以甲固。以兵勝。凡車以密固。徒以坐固。甲以重固。兵以輕勝。

凡[illegible]戰。[illegible]。[illegible]甲[illegible]。[illegible]

[illegible]

原文　人有勝心，惟敵之視；人有畏心，惟畏之視。兩心交定，兩利若一。兩爲之職，惟權視之。

譯文　如果士卒有了取勝之心，那麼他們心中就衹想戰勝敵人；如果士卒有畏懼敵人之心，那麼他們心中就衹會畏懼敵人。這兩種心理交互存在，可以互補，兩方面的利益是一樣的。這兩方面應當兼顧，要根據實際情況加以權衡。

原文　凡戰，以輕行輕則危，以重行重則無功，以輕行重則敗，以重行輕則戰，故戰相爲輕重。

譯文　但凡作戰，用實力較弱的軍隊去對付實力同樣很弱的敵人，就十分危險；用實力較強的軍隊去對付實力同樣很強的敵人，就可能徒勞無功；用實力較弱的軍隊去對付實力較強的敵人，就會失敗；用實力較強的軍隊去對付實力較弱的敵人，纔可以作戰。所以說，作戰是敵我雙方兵力的對比與較量。

原文　舍謹甲兵，行慎行列，戰謹進止。

譯文　軍隊安營紮寨時，要注意甲冑、兵器的擺放位置；行軍時，要注意保持隊形整齊；作戰時，要注意控制前進與停止的節奏。

原文　凡戰，敬則慊，率則服。上煩輕，上暇重。奏鼓輕，舒鼓重。服膚輕，服美重。

譯文　但凡作戰，將領態度恭敬，士卒就會謙虛；將領以身作則，士卒就會服從。上級對下級的管束過於煩瑣，其威信就會降低；上級悠閒從容，對下級干預較少，其威信就會提昇。節奏緊湊的鼓聲顯得輕浮，節奏舒緩的鼓聲顯得莊重。服裝單薄顯得輕浮，服裝華美顯得莊重。

原文　凡馬車堅，甲兵利，輕乃重。

譯文　衹要戰車牢固，甲冑堅實，兵器鋒利，那麼，這些裝備越是輕便，

就越有殺傷力。

【原文】上同無獲，上專多死，上生多疑，上死不勝。

【譯文】將領如果喜歡隨聲附和，那麼他就不會有太大成就；將領如果獨斷專行，作戰就會多有死傷；將領如果貪生怕死，就會疑慮重重；將領如果衹知道拚死力戰，就不會取得勝利。

【原文】凡人，死愛，死怒，死威，死義，死利。

【譯文】人們總是因爲感恩戴德而死，因爲憤怒而死，因爲受到威脅而死，因爲正義而死，因爲利益而死。

【原文】凡戰之道，教約人輕死，道約人死正。

【譯文】一般的作戰法則是：用法令來約束士卒，可以讓他們不懼怕死亡；用道義來約束士卒，可以讓他們爲正義獻身。

【原文】凡戰，若勝若否，若天若人。

【譯文】但凡作戰，或者取勝，或者失敗；或者依靠天命，或者依靠人爲。

【原文】凡戰，三軍之戒，無過三日；一卒之警，無過分日；一人之禁，無過瞬息。

【譯文】但凡作戰，三軍的戒備不超過三天；一卒的戒備不超過半天；一人的戒備不過瞬息之間。

【原文】凡大善用本，其次用末。執略守微，本末惟權，戰也。

【譯文】但凡作戰，最好的方法是以仁義取勝，次一等的方法是用權謀取勝。既要把握全局又要注意細節。衹有對本末加以權衡，纔能夠投入戰爭。

【原文】凡勝，三軍一人，勝。

【譯文】凡是要取得勝利，一定要使三軍將士協調、統一得像一個人一樣，這樣纔能取得勝利。

【原文】凡鼓，鼓旌旗，鼓車，鼓馬，鼓徒，鼓兵，鼓首，鼓足。

大凡勝三軍之衆者，在一人之能制勝耳。若張遼守合肥，與吳戰；唐太宗征遼東，薛仁貴與蓋蘇文戰，皆一人制勝而後能勝三軍也。

七鼓兼齊。

【譯文】凡是鼓的使用，有指揮旌旗的，有指揮戰車的，有指揮戰馬的，有指揮步兵的，有指揮交兵作戰的，有指揮隊形的，有指揮前進步伐的。這七種擊鼓的方法一定要規定齊全。

【原文】**凡戰，既固勿重，重進勿盡，凡盡危。**

【譯文】但凡作戰，如果陣勢穩固、實力雄厚，就不必過於小心謹慎。但是，即使實力足夠強大，進攻時也不應該一次投入全部力量，用盡全力必將帶來危險。

【原文】**凡戰，非陳之難，使人可陳難；非使可陳難，使人可用難；非知之難，行之難。**

【譯文】但凡作戰，陣法本身並不難，而難在使士卒熟悉陣法、排列陣形；使士卒熟悉陣法、排列陣形也並不難，而難在使士卒靈活運用陣法，掌握其奧妙；陣法並非難以瞭解，而是難在執行。

【原文】**人方有性，性州異，教成俗，俗州異，道化俗。**

【譯文】不同地方的人有著不同的性格，每一種性格又隨著所居地域的不同而有所差別。教化可以形成風俗，風俗也因地域的不同而有所差別，可以用啟發、開導的手段來推行風俗。

【原文】**凡眾寡，既勝若否，兵不告利，甲不告堅，車不告固，馬不告良，眾不自多，未獲道。**

【譯文】不管敵我雙方兵力多少，已經取勝還是沒有取勝，凡是不講究兵器的鋒利，不講究甲冑的堅實，不講究戰車的牢固，不講究戰馬的優良，自己不努力擴充軍隊，都是沒有掌握用兵要領的表現。

【原文】**凡戰，勝則與眾分善。若將復戰，則重賞罰。若使不勝，取過在己。復戰，則誓以居前，無複先術。勝否勿反，是謂正則。**

【譯文】但凡作戰，如果取勝，將領就要與衆人分享榮譽。如果要再次進行戰鬥，就要重新申明賞罰制度。如果不勝，將領就要自己承擔過錯。如果再戰，將領就要發誓將身先士卒，並且不要重複使用上一次的戰法。無論勝敗，所採取的戰法都不能顛倒，這就是正確的作戰原則。

【原文】凡民，以仁救，以義戰，以智決，以勇鬥，以信專，以利勸，以功勝。故心中仁，行中義，堪物智也，堪大勇也，堪久信也。

【譯文】凡是對待民衆，要靠仁愛來相互救助，用道義來激勵他們作戰，用智慧來決斷，用勇氣來使其戰鬥，用誠信使其專心致志，用利益來鼓勵，用功爵激勵他們取勝。所以，思想要合乎仁愛，行爲要合乎道義。應付外界事物，要依靠智慧；應付強大的敵人，要靠勇敢；能夠持之以恒，要靠誠信。

【原文】讓以和，人以洽，自予以不循，爭賢以爲人，說其心，

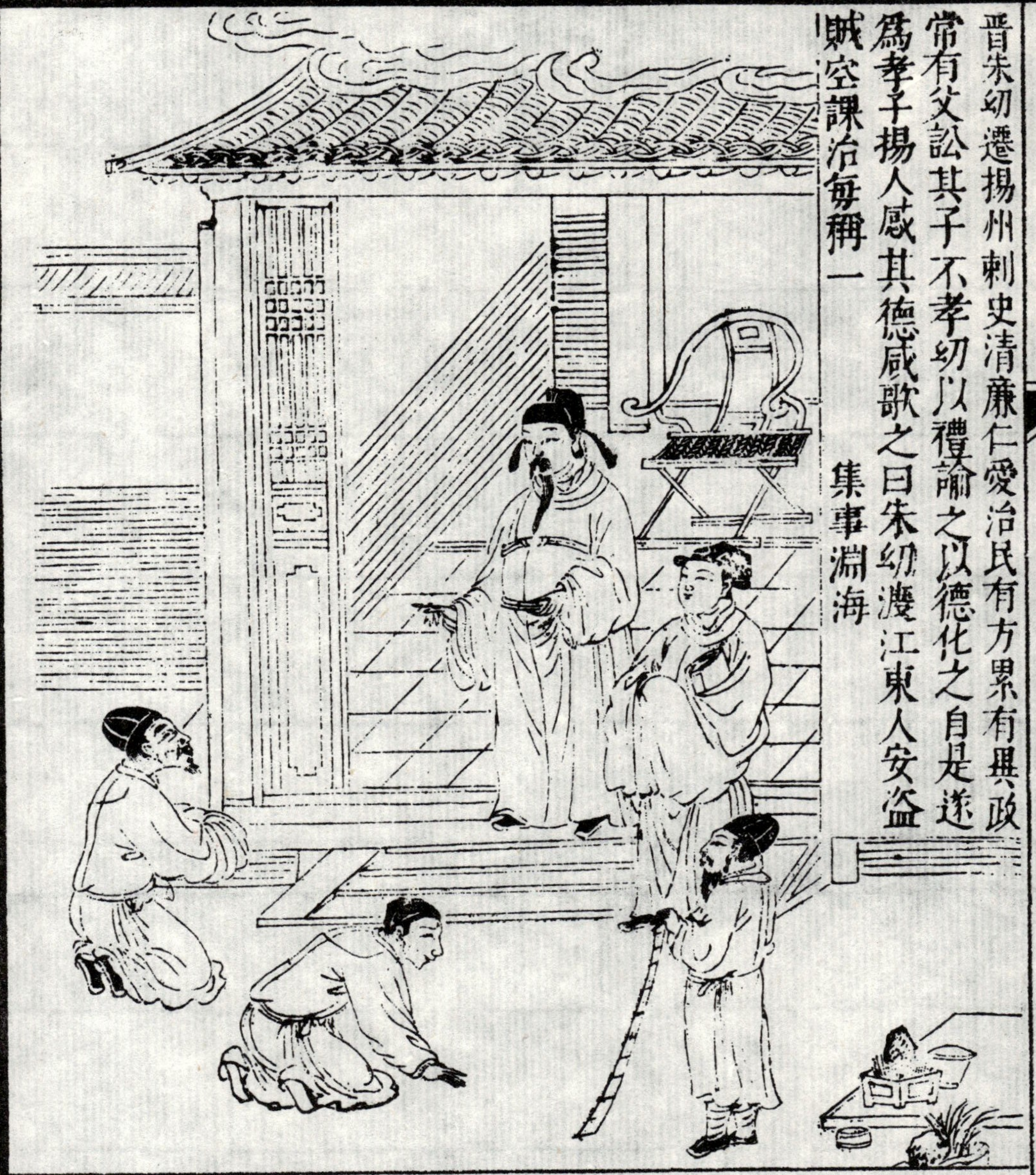
晉朱幼遷揚州刺史清廉仁愛治民有方累有異政常有父訟其子不孝幼以禮諭之以德化之自是遂爲孝子揚人感其德咸歌之曰朱幼渡江東人安盜賊空課治每稱一
集事淵海

清勤民化

對待民衆，要靠仁愛來相互救助。在南北朝的南齊，朱幼任揚州刺史期間，清廉仁愛，治民護土有方，州人感恩其德，以「朱幼護江東，人安盜賊空」的歌謠來歌頌他。

[illegible]

凡戰，以仁救，以義戰，以智決，以勇鬥，以信專，以利勸，以功勝。故心中仁，行中義，堪物智也，堪大勇也，堪久信也。

[illegible]

讓以和，人以治，自予以不循，爭賢以爲人，說其心，效其力。

[illegible]

效其力。

譯文　將領謙讓，所以上下級和睦，人們的關係因此而融洽。把過錯歸於自己，爭著以賢人爲榜樣，這樣部衆就會心悅誠服，願意爲將領效力。

原文　凡戰，擊其微靜，避其強靜；擊其倦勞，避其閒窕；擊其大懼，避其小懼。自古之政也。

譯文　但凡作戰，要攻擊那些因實力弱小而顯得安靜的敵人，回避那些實力強大而又顯得鎮靜的敵人；攻擊那些疲勞睏頓的敵人，回避那些悠閒舒緩的敵人；攻擊那些極度恐懼的敵人，回避那些小心謹慎、有所戒備的敵人。這些都是自古以來的作戰方法。

## 用衆第五

原文　凡戰之道，用寡固，用衆治，寡利煩，衆利正。用衆進止，用寡進退。衆以合寡，則遠裹而闕之。若分而迭擊，寡以待衆。若衆疑之，則自用之。擅利則釋旗，迎而反之。敵若衆，則相衆而受裹；敵若寡若畏，則避之開之。

譯文　按照一般的作戰原則，使用少數兵力作戰，要保證軍心穩固；使用大規模部隊作戰，要力求整治得有條不紊。兵力較少有利於頻繁出擊；兵力較多則有利於正面迎敵。指揮大規模部隊，要做到能進能止；指揮小規模部隊，要做到能進能退。大部隊與小股部隊交戰，應該從遠處實施包圍，並留出缺口。如果分兵輪番對敵人進行攻擊，那麼就可以用少數兵力對付較多的敵軍。如果部衆對此懷有疑慮，將領可自行決斷。如果我軍佔據了有利條件，就要收起旗幟，引誘敵人前來，然後予以反擊。如果敵軍數量較多，就要觀察其虛實，並做好在被敵軍包圍的情況下作戰的準備；如果敵軍數量較少，並且心存畏懼，就要避開他們，爲他們留出生路。

原文　凡戰，背風背高，右高左險，歷沛歷圮，兼舍環龜。

敘其七。

[illegible]

[illegible]

[illegible] 凡戰，[illegible]

其大體。[illegible]其小體。自古以來也。

[illegible]

[illegible]

[illegible]

[illegible]

止。用[illegible]。[illegible]



[illegible]

[illegible]

[illegible]

[illegible]

[illegible]

[illegible]

[illegible]

[illegible]

[illegible]兼合諸體。

凡與人戰，或用眾或用寡，以觀其變動如何。一進一退，以觀其固備如何。以危迫之勢臨之，而觀其懼之如何。靜以待之，而觀其怠心如何。設計動之，而觀其疑惑如何。以兵潛襲之，而觀其治亂如何。



譯文　但凡作戰，一定要背著風向，背靠高地。右面依靠高地，左面依託險要。在經過沼澤地和難行的道路時，一定要日夜兼行，迅速通過，並四面設防。

原文　**凡戰，設而觀其作，視敵而舉。待則循而勿鼓，待眾之作。攻則屯而伺之。**

譯文　但凡作戰，都要列好陣勢，觀察敵軍的動向，根據敵情採取行動。如果敵軍設下圈套等待我軍上當，我軍就應該順勢停止進攻，等待敵人的下一步行動。如果敵人向我軍發動進攻，我軍就應該集中兵力，伺機而動。

原文　**凡戰，眾寡以觀其變，進退以觀其固，危而觀其懼，靜而觀其怠，動而觀其疑，襲而觀其治。擊其疑，加其卒，致其屈，襲其規，因其不避，阻其圖，奪其慮，乘其懼。**

譯文　但凡作戰，要用或多或少的兵力去試探敵人，以此來觀察其變化；採取忽進忽退的行動，以觀察敵人的陣勢是否穩固；使用威逼迫近的手段，以觀察敵人是否恐懼；按兵不動，保持安靜，以觀察敵人是否懈怠；佯裝躁動，以觀察敵人是否疑惑；發動突襲，以觀察敵軍陣容是否嚴整。在敵人猶疑的時候對其進行打擊，在敵人疲病的時候對其發動進攻，致使其力量衰竭，襲擊敵人以打亂其部署，利用敵人躲避不及對其加以攻擊，阻撓其意圖的實現，粉碎其計劃，並乘其軍心恐懼不安之際發動進攻。

原文　**凡從奔勿息，敵人或止於路，則慮之。**

譯文　凡是追逐逃跑的敵人，一定不要停息，如果敵人在途中停下來，則要多加小心。

原文　**凡近敵都，必有進路；退，必有反慮。**

譯文　凡是臨近敵國城邑，一定要選擇好進軍的道路；如果要撤退，一定要考慮好返回的辦法。

原文 凡戰，先則弊，後則懾，息則怠，不息亦弊，息久亦反其懾。

譯文 但凡作戰，如果先於敵人發起攻擊，就容易使士卒疲憊；後於敵人發起攻擊，就容易使士卒在心理上受到威脅；軍隊休息會造成懈怠；軍隊不休息又會疲憊；軍隊休息過久，反而會產生怯戰心理。

原文 書親絶，是謂絶顧之慮。選良次兵，是謂益人之强。棄任節食，是謂開人之意。自古之政也。

譯文 要禁止士卒與親屬通信，這就稱爲斷絶他們因思鄉而產生的後顧之心；選拔優秀士卒，配備相應的兵器，這就稱爲更好地發揮他們的作用；丟棄輜重，少帶軍糧，這就稱爲啟發士卒決一死戰的意志。這些是自古就有的治軍之道。

# 尉繚子

［戰國］尉繚 著

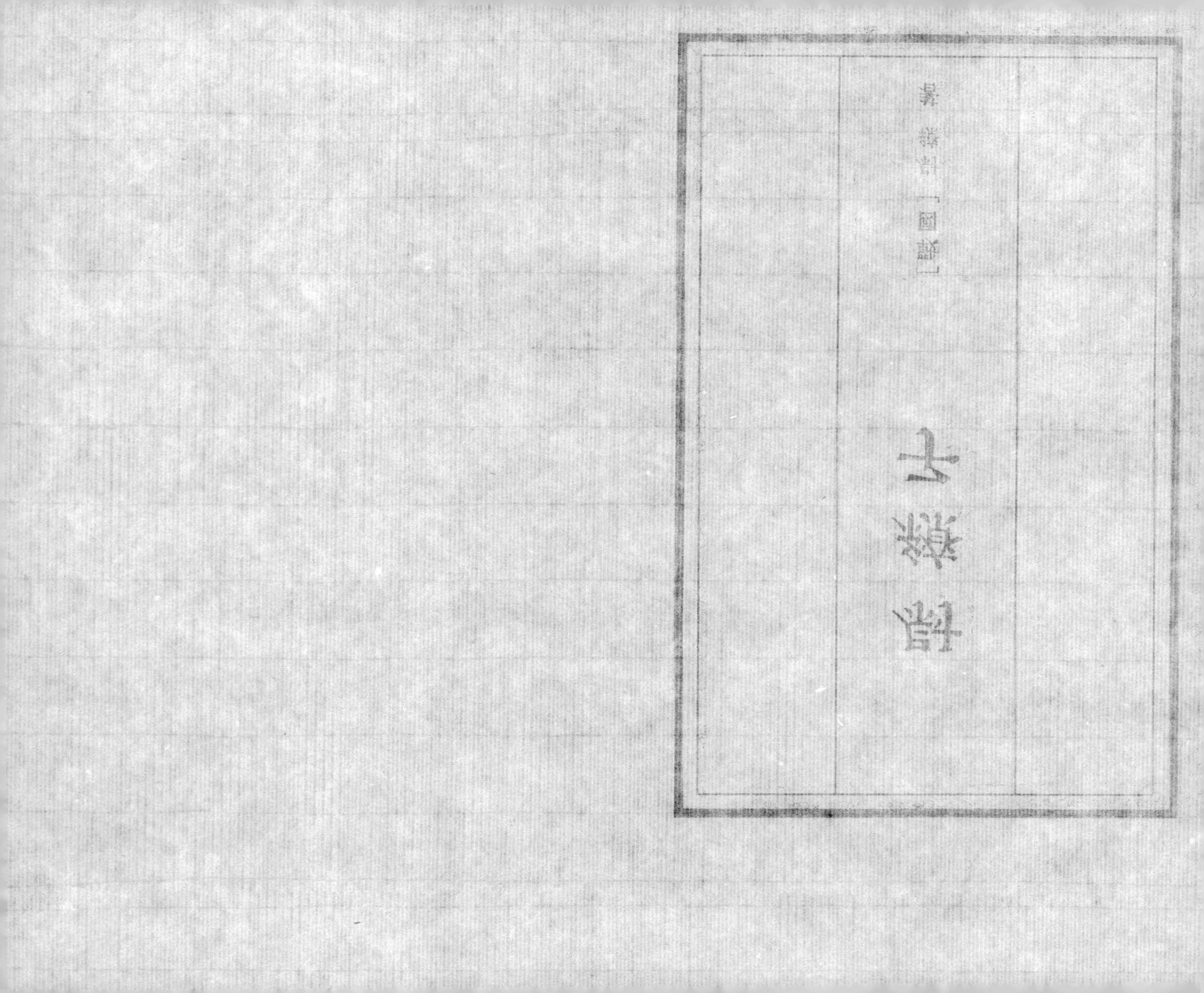

**綜述**

《尉繚子》是中國古代的一部重要的兵書。關於《尉繚子》的作者、成書年代一直頗有爭議。有人說《尉繚子》的作者是魏惠王時期的隱士，有人說是秦始皇時期的大梁人尉繚。根據在臨沂漢墓出土的《尉繚子》殘簡，證明此書在西漢時期已經流行，一般認爲成書於戰國時期。

《尉繚子》反對鬼神迷信，主張憑藉人的智慧。它對政治、經濟以及軍事關係的認識是十分深刻的。在戰略戰術方面，它主張不能打沒有把握的戰爭，反對消極地抵禦，主張運用權謀，採取主動，明察敵情，將兵力集中，出其不意，獲得勝利。

《尉繚子》分爲五卷共二十四篇。第一卷包括《天官》、《兵談》、《制談》、《戰略》四篇，主要闡述了政治、經濟、軍事三者的關係，進攻和作戰的原則，主張行事應該依靠人的智慧。第二卷包括《攻權》、《守議》、《十二陵》、《武議》、《將理》五篇，主要介紹了戰爭的性質、戰爭的作用以及守城的原則。第三卷包括《原官》、《治本》、《戰權》、《重刑令》、《伍制令》、《分塞令》六篇，主要闡釋了用兵的原則，說明了軍隊的紀律以及獎懲的制度。第四卷包括《東伍令》、《經卒令》、《勒卒令》、《將令》、《踵軍令》五篇，主要說明了戰場紀律、部隊的編制、標識以及指揮信號、行軍順序等。第五部分包括《兵教上》、《兵教下》、《兵令上》、《兵令下》四篇，主要介紹了軍隊的訓練以及獲得勝利的方法。

# 卷第一

## 天官第一

**原文**

梁惠王問尉繚子曰：「黃帝刑德，可以百勝，有之乎？」

尉繚子對曰：「刑以伐之，德以守之，非所謂天官、時日、陰陽、向背也。黃帝者，人事而已矣。

然不能取之者，城之高也，池之深也，守禦之兵器具備也，資財糧穀之多積也，豪傑之士同心而一謀也。此即孟子所謂「天時不如地利，地利不如人和」之義。

譯文

梁惠王問尉繚子說：「據說黃帝的刑德之術可以百戰百勝，有這樣的事情嗎？」

尉繚子回答道：「刑是用來殺伐的，德是用來守成的，並不是指天官、時日、陰陽、向背之類的東西。黃帝的刑德之術，祇是強調人的作用而已。

原文

「何者？今有城，東西攻不能取，南北攻不能取，四方豈無順時乘之者邪？然不能取者，城高池深，兵器備具，財穀多積，豪士一謀者也。若城下，池淺，守弱，則取之矣。由是觀之，天官時日，不若人事也。

譯文

「爲什麼這麼說呢？假如現在有一座城池，從東、西兩面進攻不能奪取，從南、北兩面進攻也不能奪取，難道東、西、南、北四個方向都沒有順應天時的機會可以利用嗎？城池不能被攻剋的原因，在於城牆高峻，護城河又深又寬，城中武器齊備，財貨、糧食儲備充足，豪傑之士同心同德。如果城





崇賢館

牆低矮，護城河淺窄，防守薄弱，那麼就可以將其攻取。由此看來，天官、時日之類的條件不及人的作用重要。

原文

「按《天官》曰：『背水陳爲絶地，向阪陳爲廢軍。』武王伐紂，背濟水向山阪而陳，以二萬二千五百人擊紂之億萬而滅商，豈紂不得天官之陳哉！

譯文

「按《天官》中說：『背水列陣，就是自處絶地；向山列陣，就是白白葬送軍隊。』當初周武王討伐商紂王，背靠濟水，面向山坡排兵佈陣，以兩萬兩千五百人擊敗了紂王的數十萬軍隊，從而滅掉商朝，這可不是因爲商紂王沒有佔據《天官》所說的佈陣的有利位置啊！

原文

「楚將公子心與齊人戰，時有彗星出，柄在齊。柄所在勝，不可擊。公子心曰：『彗星何知？以彗鬥者，固倒而勝焉。』明日與齊戰，大破之。

譯文 「楚國將領公子心與齊國軍隊交戰，當時天上出現了彗星，其柄部指向齊人一方。按照當時的觀念，彗柄所指的一方能夠取勝，不宜對其發動攻擊。公子心說：『彗星知道什麼？用掃帚打鬥，本應該將掃帚倒過來用其柄擊打對方，這樣纔能取勝。』次日，楚軍與齊軍交戰，最終大敗齊軍。」

原文 「黃帝曰：『先神先鬼，先稽我智。』謂之天官，人事而已。」

譯文 「黃帝說：『先去求神問鬼，不如先考量一下自己的智慧。』這就是說，所謂『天官』，實際上是指發揮人的作用。」

## 兵談第二

原文 量土地肥墝而立邑。建城稱地，以城稱人，以人稱粟。三相稱，則內可以固守，外可以戰勝。戰勝於外，備主於內。勝備相應，猶合符節，無異故也。

**禮墮三都**

在古代，對於城邑的規模有一定的限制。孔子就曾經因爲季孫氏、叔孫氏、孟孫氏三家世卿所建城堡不合規定而向魯定公進諫，對魯定公說：「臣無藏甲，大夫無百雉之城。今三家過制，請損之。」建議下令拆除費、郈、成三座城池的違制城牆。

楚國將領公子心與齊國軍隊交戰，當時天上出現一彗星，其柄部指向齊人一方。按照當時的觀念，彗星柄所指一方能取勝，不宜對其發動攻擊。公子心說：「彗星知道什麼？用掃帚打鬥，本來就應該倒過來用柄擊才方便。」次日，燕軍與齊軍交戰，最終大敗齊軍。

「黃帝曰：『先神先鬼，先稽我智。』謂之天官，人事而已。」

「黃帝說：『先求於神明鬼，不如先考查一下自己的智慧。』這就是說，所謂「天官」，實際上是指發揮人的作用。」

## 兵談第二

量土地肥磽而立邑。建城稱地，以城稱人，以人稱粟。三相稱，則內可以固守，外可以戰勝。戰勝於外，備主於內，勝備相應，猶合符節，無異故也。

隳三都

在古代，對於城邑的規模有一定的規制。孔子見魯國季孫氏、叔孫氏、孟孫氏三家世卿所建城堡不合規定而向魯定公建議，對其說：「臣無藏甲，大夫無百雉之城。今三家過制，請損之。」魯定公[illegible]

【譯文】根據土地的肥沃、貧瘠情況來設立城邑。城邑的修建應當與土地面積大小相稱；城邑的規模應當與人口的多少相稱；人口的多少應當與糧食的供應量相稱。三者相稱，對内就可以穩固地防守，對外就可以戰勝敵人。對外戰勝敵人，關鍵在於内部的準備。外部取勝和内部備戰相適應的情況，就如同兩半符節一樣符合，這正是没有任何偏差的緣故。

【原文】治兵者，若秘於地，若邃於天，生於無。故開之，大不窕，小不恢。

【譯文】治兵之道，要像藏於地下一樣隱秘，要像處於天空一樣深邃悠遠，産生於無形之中。所以一旦開戰，大規模用兵不會輕佻放蕩，小規模用兵也不會顯得局促窘迫。

【原文】明乎禁捨開塞，民流者親之，地不任者任之。夫土廣而任則國富，民衆而治則國治。富治者，民不發軔，甲不暴出，而威制天下。故曰：兵勝於朝廷。不暴甲而勝者，主勝也；陳而勝者，將勝也。

【譯文】要明白哪些事情需要禁止，哪些事情需要提倡。人民流離失所，要對其加以親近、安撫；土地荒蕪閒置，要對其加以開發利用。土地廣闊並且能夠充分利用，國家就會富足；人口衆多而又治理有序，國家就會安定。在一個富足而又安定的國家中，百姓不必動員，軍隊不必出動，卻能以威勢制服天下。所以説：軍事上的勝利源於君主和將領在朝廷上的決策。不出兵卻能夠取勝，是君主的勝利；通過佈陣、交戰而取勝，是將領的勝利。

【原文】兵起，非可以忿也。見勝則興，不見勝則止。患在百里之内，不起一日之師；患在千里之内，不起一月之師；患在四海之内，不起一歲之師。

【譯文】發動戰爭，不可憑一時的憤怒。能夠預見勝利就可以興兵，不能預

見勝利就要停止行動。禍患發生在百里之內，就不能衹作一天的戰鬥準備；禍患發生在千里之內，就不能衹作一個月的戰鬥準備；禍患發生在四海之內，就不能衹作一年的戰鬥準備。

**原文** 將者，上不制於天，下不制於地，中不制於人。寬不可激而怒，清不可事以財。夫心狂、目盲、耳聾，以三悖率人者難矣。

**譯文** 身爲將領，上不受制於天，下不受制於地，中不受制於人。心胸寬廣，不可因一時刺激而發怒；清正廉潔，不可因貪財而收受賄賂。心思狂亂、視覺不明、聽覺不靈，如果任用有這三種缺陷的人統領軍隊，那麼取勝就變得十分困難了。

**原文** 兵之所及，羊腸亦勝，鋸齒亦勝，緣山亦勝，入谷亦勝；方亦勝，圓亦勝。重者如山如林，如江如河；輕者如炮如燔，如漏如潰。如垣壓之，如雲覆之。令之聚不得以散，散不得以聚；左不得以右，右不得以左。兵如總木，弩如羊角，人人無不騰陵張膽，絕乎疑慮，堂堂決而去。

**譯文** 軍隊所到之處，在羊腸小道也能取勝，在曲折的山路也能取勝；攀爬山峰也能取勝，進入山谷也能取勝；使用方陣也能取勝，使用圓陣也能取勝。軍隊沈穩持重之時，就像山林、江河一樣；軍隊輕捷靈動之時，就像煨烤食物的火焰、滲泄的流水。像坍塌的牆壁壓下來一樣迅猛，像雲霧彌漫開來一樣鋪天蓋地。使聚集的敵軍不能分散，使分散的敵軍不能聚集；使敵軍左邊顧不到右邊，右邊顧不到左邊。兵器如同叢生的灌木，弓弩如同群羊的犄角。士卒無不踴躍向前，放開膽量，斷絕一切疑慮，勇往直前地去一決勝負。

## 制談第三

**原文** 凡兵，制必先定。制先定，則士不亂；士不亂，則刑乃

明。金鼓所指，則百人盡鬥，陷行亂陳；則千人盡鬥，覆軍殺將；則萬人齊刃，天下莫能當其戰矣。

譯文　但凡治軍，一定要先確定編制。先將編制確定好，士卒就不會混亂；士卒不混亂，刑罰就會彰明。在這樣的前提下，金鼓所指，百人全力戰鬥，可以擊垮敵軍陣列；千人全力戰鬥，可以消滅敵軍，斬殺敵將；萬人協力砍殺，天下就沒有人能夠阻擋其進攻了。

原文　古者，士有什伍，車有偏列。鼓鳴旗麾，先登者，未嘗非多力國士也；先死者，亦未嘗非多力國士也。

譯文　在古代，士卒有什伍的編制，戰車有偏列的編制。擊鼓揮旗發動進攻，率先登上敵軍城頭的未嘗不是國中勇猛強悍之士；最先戰死者也未嘗不是國中勇猛強悍的勇士。

原文　損敵一人而損我百人，此資敵而傷我甚焉，世將不能禁。徵役分軍而逃歸，或臨戰自北，則逃傷甚焉，世將不能禁。殺人於百步之外者，弓矢也；殺人於五十步之內者，矛戟也。將已鼓而士卒相囂，拗矢、折矛、抱戟，利後發。戰有此數者，內自敗也，世將不能禁。士失什伍，車失偏列，奇兵捐將而走，大衆亦走，世將不能禁。夫將能禁此四者，則高山陵之，深水絕之，堅陳犯之；不能禁此四者，猶亡舟楫，絕江河，不可得也。

譯文　使敵軍損失一人而我軍損失百人，這等於是幫助敵人而重傷我軍，世上的名將也在所難免。百姓應徵服役，剛剛被分別編入軍中就逃回家，或者臨戰之時自行敗走，這樣逃亡造成的損失就十分嚴重了，世上的名將也在所難免。在百步之外殺死敵人的是弓箭，在五十步以內殺死敵人的是矛和戟。將領已經擊鼓，發出了進攻命令，而士卒卻一片喧嘩，折斷弓，毀掉矛，丟掉明。金鼓所指，則百人盡鬥，陷行亂陳；則千人盡鬥，覆軍殺將；則萬人齊刃，天下莫能當其戰矣。

【譯文】但凡治軍，一定要先確定編制。先將編制確定好，士卒就不會混亂；士卒不混亂，刑罰就會嚴明。在這樣的前提下，金鼓所指，百人全力戰鬥，可以擊垮敵軍陣列；千人全力戰鬥，可以消滅敵軍，斬殺敵將；萬人協力攻殺，天下就沒有人能夠阻擋其進攻了。

【原文】古者，士有什伍，車有偏列。鼓鳴旗麾，先登者，未嘗非多力國士也；先死者，亦未嘗非多力國士也。

【譯文】在古代，士卒有什伍的編制，戰車有偏列的編制。擊鼓揮旗發動進攻，率先登上敵軍城頭的未嘗不是國中勇猛強悍之士；最先戰死者也未嘗不是國中勇猛強悍的士。

【原文】損敵一人，而損我百人，此資敵而傷我甚焉，世將不能禁。徵役分軍而逃歸，或臨戰自北，則逃傷甚焉，世將不能禁。殺人於百步之外者，弓矢也；殺人於五十步之內者，矛戟也。將已鼓而士卒相囂，拗矢、折矛、抱戟，利後發。戰有此數者，內自敗也，世將不能禁。士失什伍，車失偏列，奇兵捐將而走，大眾亦走，世將不能禁。夫將能禁此四者，則高山陵之，深水絕之，堅陳犯之；不能禁此四者，猶亡舟楫，絕江河，不可得也。

【譯文】使敵軍損失一人，我軍卻損失百人，這等於是幫助敵人而重傷我軍，世上的將帥也在所難免。百姓應徵服役，剛剛被分別編入軍中就逃回家，或者臨戰之時自行敗走，這樣逃亡造成的損失就十分嚴重了，世上的將帥也在所難免。在百步之外殺死敵人的是弓箭，在五十步以內殺死敵人的是矛和戟。將領已經擊鼓，發出了進攻命令，而士卒卻一片喧嘩，折斷弓，毀掉矛，抱著戟，以落在後面爲利。作戰之時如果出現這幾種情況，就可以說軍隊已經從內部崩潰了，世上的名將也在所難免。士卒脱離了什伍編制，戰車脱離了偏列編制，奇兵遺棄將領逃跑，大部隊也隨之逃散，世上的名將也在所難免。將領如果能夠杜絕這四種情況發生，那麼他指揮的軍隊就可以攀越高山，横渡深水，攻剋敵人堅固的陣地；如果不能杜絕這四種情況發生，那麼他指揮作戰就如同在沒有船隻、船槳的情況下横渡江河一樣，是無法取得勝利的。

**原文** 民非樂死而惡生也，號令明，法制審，故能使之前。明賞於前，決罰於後，是以發能中利，動則有功。

**譯文** 民衆並非喜歡死亡而厭惡生存，衹是因爲號令嚴明，法度周詳，所以將領纔能驅使他們冒死向前。用明確的獎賞措施在前面吸引，用嚴酷的處罰措施在後面督促，所以出兵就能取得勝利，行動就能取得戰功。

**原文** 今百人一卒，千人一司馬，萬人一將。以少誅衆，以弱誅強。試聽臣言其術，足使三軍之衆，誅一人無失刑。父不敢捨子，子不敢捨父，況國人乎！

**譯文** 如今，百人設一名卒長，千人設一名司馬，萬人設一名將軍。這是以少數人管轄多數人，以弱的一方管轄強的一方。如果君上聽從我所說的方法，就足以使全軍上下不錯罰一人。父親不敢包庇兒子，兒子不敢包庇父親，更何況國人之間呢！

**原文** 一賊仗劍擊於市，萬人無不避之者，臣謂非一人之獨勇，萬人皆不肖也。何則？必死與必生，固不侔也。聽臣之術，足使三軍之衆爲一死賊，莫當其前，莫隨其後，而能獨出獨入焉。獨出獨入者，王霸之兵也。

**譯文** 一個賊人手持利劍在集市上行凶，衆人無不躲避。我認爲，這並不是因爲衹有他一個人勇敢，而是因爲衆人都怯懦無能。這是爲什麼呢？這是

有提十萬之衆，而天下莫能當者，誰哉？齊桓公也。桓公尊周室，攘夷狄，九合諸侯，一匡天下，故曰：莫當，言人不能當也。

因爲，不躲避賊人就一定會喪命，躲避賊人就一定可以生存，二者本來就不等同。君上如果聽從臣下的辦法，就足以使全軍將士像一個捨命拚死的賊人一樣，沒有人敢在前面阻攔，也沒有人敢在後面尾隨，這樣就可以獨往獨來。能夠獨往獨來而無所阻礙的軍隊，纔是能夠統一天下、稱霸諸侯的軍隊。

原文 有提十萬之衆而天下莫當者，誰？曰桓公也。有提七萬之衆而天下莫當者，誰？曰吳起也。有提三萬之衆而天下莫當者，誰？曰武子也。今天下諸國士，所率無不及二十萬之衆者，然不能濟功名者，不明乎禁捨開塞也。明其制，一人勝之，則十人亦以勝之也；十人勝之，則百千萬人亦以勝之也。故曰：便吾器用，養吾武勇，發之如鳥擊，如赴千仞之溪。

譯文 有率領十萬軍隊而天下無人能夠抵擋的是誰？是齊桓公。有率領七萬軍隊而天下無人能夠抵擋的是誰？是吳起。有率領三萬軍隊而天下無人能夠抵擋的是誰？是孫武。如今天下各國將領率領的軍隊都不少於二十萬，然而卻不能成就功名，這是因爲他們不明白什麼事情應該禁止、什麼事情應該提倡。如果能夠彰明軍中制度，那麼一個人去奪取勝利，十個人就會跟着去奪取勝利；十個人去奪取勝利，百人、千人、萬人也都會跟着去奪取勝利。所以說：改善我軍的裝備，培養我軍的英勇作風，這樣，軍隊一旦發起進攻，就如同鷹擊長空一般淩厲，就如同水落千仞深谷一樣勢不可擋。

原文 今國被患者，以重寶出聘，以愛子出質，以地界出割，得天下助卒，名爲十萬，其實不過數萬爾。其兵來者，無不謂其將曰：「無爲天下先戰。」其實不可得而戰也。

譯文 如今諸侯國遭受禍患之時，就讓使者攜帶大量珍寶出訪他國，將自己的愛子作爲人質送往他國，把本國的土地割讓給他國，以換取其他國家的援兵。這些援兵名義上有十萬之多，但實際上不過數萬而已。各國援兵出發

《鬼谷子》 一〇七 崇賢館

【原文】

率領十萬之眾橫行天下，無人能當者，是吳起也。率領三萬軍帶甲天下無人能當者，是齊桓公。率領十萬軍帶甲天下無人……

曰：驅吾器用，發吾故鳥輦，攻城千乘必破。

器不藏也，故不開寨門。即其時，一人當十，十人當百，百人當千，千萬人當十萬之眾。頭百千萬人當十萬之眾……

今天下諸國士，�standby 率領無不及十萬之眾，……率領二十萬之眾后天下莫當者，曰吳公爲。率領三萬之眾后天下莫當者，曰晉公爲。率領十萬之眾后天下莫當者，曰……

【今文】
（此處為白話譯文）

太子丹

在秦朝滅亡韓國前夕，燕國將太子丹送去秦國做人質。後來太子丹策劃了荊軻刺殺秦王事件，最後事敗，被燕王殺害，以求和於秦國。

之時，國君無不告誡將領說：「不要在別人之前出戰。」援兵相互觀望，也就根本不能用以作戰了。

**原文** 量吾境內之民，無伍莫能正矣。經制十萬之衆，而王必能使之衣吾衣，食吾食，戰不勝，守不固者，非吾民之罪，內自致也。天下諸國助我戰，猶良驥騄耳之駛，彼駑馬鬐與角逐，何能紹吾氣哉？

**譯文** 治理境內的百姓，如果沒有伍的編制，就不能徵發兵役。管理十萬大軍，君王就一定要讓他們穿上我們發放的衣服，讓他們喫上我們供應的糧食。如果出戰沒有取勝，防守不夠堅固，這就不是我們百姓的罪過，而是軍隊內部缺乏有效制度的緣故。天下各國出兵幫助我們作戰，但是敵人就好像千里馬一樣馳騁，而援軍卻像劣馬一樣站在原地、豎起鬃毛與之較量，這又怎麼能激勵我軍士氣呢？

原文 吾用天下之用爲用，吾制天下之制爲制，修吾號令，明吾刑賞，使天下非農無所得食，非戰無所得爵。使民揚臂爭出農戰，而天下無敵矣。故曰：發號出令，信行國內。

譯文 我用天下一切可用之物爲我所用，我做法天下一切可以做法的制度作爲我的制度。整飭我的號令，彰明我的賞罰原則。使天下百姓不從事農業生產就得不到食物，不從軍參戰就得不到爵位。這樣就會使百姓個個摩拳擦掌、爭先恐後地從事農耕和征戰，從而使我們天下無敵。所以說：號令一經發佈，就可以取信於民，通行全國。

原文 民言有可以勝敵者，毋許其空言，必試其能戰也。

譯文 百姓說有可以戰勝敵人的方法，不要輕信那些空話，一定要試驗一下，看他究竟有沒有作戰能力。

原文 視人之地而有之，分人之民而蓄之，必能內有其賢者也。不能內有其賢而欲有天下，必覆軍殺將。如此，雖戰勝而國益弱，得地而國益貧，由國中之制弊矣。

譯文 吞併別國的土地而擁有它，瓜分別國的百姓而治理他們，其前提是國內一定要有賢人主政。如果國內沒有賢人主政，而又想擁有天下，那麼一定會兵敗將亡。在這種情況下，即使打了勝仗，國家也會更加衰弱；即使奪取了土地，國家也會更加貧困。這是由國內制度的弊端決定的。

## 戰威第四

原文 凡兵，有以道勝，有以威勝，有以力勝。講武料敵，使敵之氣失而師散，雖形全而不爲之用，此道勝也。審法制，明賞罰，便器用，使民有必戰之心，此威勝也。破軍殺將，乘闉發機，潰衆奪地，成功乃返，此力勝也。王侯知此，所以三勝者畢矣。

[illegible]

【譯文】但凡用兵，有以謀略取勝的，有以威勢取勝的，有以武力取勝的。研究武備，分析敵情，使敵人士氣盡失而軍隊潰散，雖然陣形完整卻不能爲其所用，這就是以謀略取勝。嚴密地施行法制，彰明賞罰原則，改善武器裝備，使百姓有勇於戰鬥的決心，這就是以威勢取勝。擊垮敵軍，斬殺敵將，登上敵人的城樓，扣動弩機，擊潰敵衆，奪取土地，成功以後班師回朝，這就是以武力取勝。諸侯如果瞭解這些，那麼三種取勝的訣竅也就全部掌握了。

【原文】**夫將之所以戰者，民也；民之所以戰者，氣也。氣實則鬥，氣奪則走。**

【譯文】將領賴以作戰的是士卒，士卒賴以作戰的是士氣。士氣高昂，就可以戰鬥；士氣喪失，就會敗逃。

【原文】**刑未加，兵未接，而所以奪敵者五：一曰廟勝之論，二曰受命之論，三曰踰垠之論，四曰深溝高壘之論，五曰舉陳加刑之論。此五者，先料敵而後動，是以擊虛奪之也。善用兵者，能奪人而不奪於人。奪者，心之機也。**



【譯文】兩軍沒有相遇，兵器沒有交接，這時先聲奪人的要訣有五點：一是朝廷的戰前謀劃要正確；二是任用的將領要得力，將領接受君命的儀式要莊重；三是將領出境作戰要有獨自決斷的魄力；四是修築防禦工事要堅實牢固；五是列陣進攻要方法得當。以上五點，關鍵是要先分析敵情，然後再採取行動，這樣纔能擊中敵人的弱點而取得勝利。善於用兵的人，能夠挫傷敵人的士氣，而不被敵人挫傷士氣。挫傷士氣，是將領巧運匠心的結果。

【原文】**令者，一衆心也。衆不審則數變，數變則令雖出，衆不信矣。故令之法，小過無更，小疑無申。故上無疑令，則衆不二聽；動無疑事，則衆不二志。**

【譯文】號令，是用來統一士卒意志的。一般的將領不精於此道，號令就會

古者人君之率民，必先以禮信服之，而後用爵祿勸之；廉恥化之，而後用刑罰威之；先以親愛結之，而後用法以律其身；即李衛公所謂「愛設於先，威加於後」之義。

屢次變更。號令如果屢次變更，那麼即使發出命令，士卒也不會信服。所以，發佈號令的原則在於，有小的差錯就不必更改，有小的疑點就不必重新申述。所以，上級沒有模棱兩可的號令，士卒就不會無所適從；行動沒有猶豫、疑惑之處，士卒就不會三心二意。

**原文** 古率民者，未有不信其心而能得其力者，未有不得其力而能致其死戰者也。故國必有禮信親愛之義，則可以飢易飽；國必有孝慈廉恥之俗，則可以死易生。古者率民，必先禮信而後爵祿，先廉恥而後刑罰，先親愛而後律其身。

**譯文** 古時治理百姓的人，沒有不取得百姓內心信任卻能使他們自願效力的，也沒有不能使他們自願效力卻要求他們拚死戰鬥的。所以，國家一定要有尊禮守信、相親相愛的風氣，這樣纔可以克服飢餓而獲得溫飽；國家一定要有孝敬慈愛、明廉知恥的習俗，這樣纔可以擺脫死亡而獲得生存。古代君主治理百姓，必定先講求禮義忠信，然後纔賞賜爵位、俸祿；先講求廉潔知恥，然後纔施加刑罰；先講求相親相愛，然後纔繩之以法。

**原文** 故戰者，必本乎率身以勵眾士，如心之使四支也。志不勵，則士不死節；士不死節，則眾不戰。勵士之道，民之所生不可不厚也；爵列之等，死喪之禮，民之所營，不可不顯也。必也因民所生而制之，因民所營而顯之。田祿之實，飲食之糧，鄉里相勸，死喪相救，兵役相從，此民之所勵也。

**譯文** 所以，領兵作戰的人一定要以自身的表率作用來激勵士卒，這樣纔能像頭腦支配四肢一樣調遣自如。沒有激發鬥志，士卒就不願以死報國；士卒不願以死報國，全軍就無法作戰。激勵士卒的方法是：對於百姓的生計，不可不使其豐厚；對於爵位等級、喪葬禮儀這些百姓所追求的東西，不可不使其顯赫。一定要根據百姓的生計需要來確立制度，以百姓所追求的東西爲

依據，使其顯赫。田祿的實惠，用以食用的糧食，同鄉同里之人的相互勸勉，生老病死的相互幫助，參軍服役的相互跟隨，這些都是激勵民眾鬥志的具體內容。

**原文** 使什伍如親戚，卒伯如朋友，止如堵牆，動如風雨，車不結轍，士不旋踵，此本戰之道也。

**譯文** 使同什同伍之人的關係如同親戚，使同卒同伯之人的關係如同朋友；軍隊駐紮時就要像牆壁一般穩固，行動時就要像風雨一般迅捷；戰車不往回行駛，士卒不掉轉腳跟逃跑。以上這些，就是作戰最根本的道理。

**原文** 地所以養民也，城所以守地也，戰所以守城也。故務耕者民不飢，務守者地不危，務戰者城不圍。三者，先王之本務也，本務者，兵最急。故先王專於兵有五焉：委積不多，則士不行；賞祿不厚，則民不勸；武士不選，則眾不強；備用不便，




則力不壯；刑賞不中，則眾不畏。務此五者，靜能守其所固，動能成其所欲。

**譯文** 土地是用來蓄養百姓的，城池是用來守衛土地的，戰鬥是用來守衛城池的。所以，致力於農業生產，百姓就不會飢餓；致力於軍事防禦，就沒有土地淪陷的危險；致力於對敵作戰，城池就不會被圍困。這三件事，是古代先王的根本任務。在諸多根本任務之中，軍事問題是最爲緊要的。所以古代先王專注於軍事問題，其中包括五方面內容：軍需物資儲備不多，士卒就無法行動；獎賞與俸祿不夠豐厚，民眾就得不到激勵；武士不經過嚴格選拔，組建的軍隊就不會有強大的戰鬥力；武器裝備不夠便利，戰鬥力就得不到增強；賞罰不公正嚴明，士卒就不會畏服。專注於這五個方面，按兵不動時就能固守陣地，行動起來就能實現目標。

**原文** 夫以居攻出，則居欲重，陣欲堅，發欲畢，鬥欲齊。

譯文　由防禦轉爲進攻，防禦要穩重，軍陣要堅固，出擊要全力以赴，戰鬥要協調一致。

原文　**王國富民，霸國富士，僅存之國富大夫，亡國富倉府。所謂上滿下漏，患無所救。**

譯文　成就王業的國家，總會使百姓富足；稱霸諸侯的國家，總會使士人富足；勉強存活於世的國家，衹能使大夫階層富足；瀕臨滅亡的國家，通常使國庫富足。這就是說，如果上層社會財富滿溢，而下層社會財富枯竭，那麼這個國家的禍患就無可救藥了。

原文　**故曰：舉賢任能，不時日而事利；明法審令，不卜筮而事吉；貴功養勞，不禱祠而得福。又曰：天時不如地利，地利不如人和。聖人所貴，人事而已。**

譯文　所以說：舉薦賢士，任用能人，不必選擇良辰吉日，事情也會順利；章明法度，嚴密地發佈號令，不必通過卜筮手段預測，事情也會吉利；尊崇戰功，優待勞作，不必祈禱就可以得到福祉。又有這樣一種說法：天象有利不如地理條件優越，地理條件優越不如人事和諧。聖人所看重的，不過人事而已。

原文　**夫勤勞之師，將必先己。暑不張蓋，寒不重衣，險必下步，軍井成而後飲，軍食熟而後飯，軍壘成而後舍，勞佚必以身同之。如此，師雖久而不老不弊。**

譯文　在一支勤勉辛勞的軍隊中，將領一定要身先士卒。酷暑時節，不獨自張設傘蓋遮陽；嚴寒時節，不獨自添置衣物禦寒；道路險惡，一定要率先下馬步行；軍井挖好，然後纔能喝水；軍食燒熟，然後纔能進餐；紮好營寨，然後纔能休息；無論勞苦還是安逸，將領都要與士卒相同。這樣，軍隊即使持久作戰，也不會出現士氣低落、疲憊衰竭的情況。

## 攻權第五

【原文】兵以靜勝，以專勝。力分者弱，心疑者背。夫力弱，故進退不豪，縱敵不禽。將吏士卒，動靜一身，心既疑背，則計決而不動，動決而不禁。異口虛言，將無修容，卒無常試，發攻必衄。是謂疾陵之兵，無足與鬥。

【譯文】軍隊依靠沈著冷靜取勝，依靠團結一致取勝。力量分散，戰鬥力就會被削弱；心中猶疑，鬥志就不會統一。力量薄弱，所以軍隊進退氣勢不足，放走敵軍而不能將其擒獲。將官士卒的一舉一動，就如同人的身體一樣。如果心存疑慮，鬥志必然不能統一，這樣，即便制定了計劃也無法付諸行動，即便付諸行動也無法控制。衆說紛紜，空話連篇，將領沒有端莊的儀容，士卒的行爲沒有常法可依。這樣的軍隊發起進攻，必然會遭受挫折。這就稱爲一觸即潰的軍隊，是不足以參與戰鬥的。



【原文】將帥者，心也；群下者，支節也。其心動以誠，則支節必力；其心動以疑，則支節必背。夫將不心制，卒不節動，雖勝，幸勝也，非攻權也。

【譯文】將帥，就好像人的心臟；部衆，就好像四肢、關節。內心運籌專一，那麼四肢、關節的動作也必然會堅決有力；內心疑惑不定，那麼四肢、關節的動作也必然乖離雜亂。如果將領不能像心臟一樣決斷，士卒不能像關節那樣運動，那麼即便取勝，也不過是僥幸而已，並不是因爲掌握了攻戰的要訣。

【原文】夫民無兩畏也。畏我侮敵，畏敵侮我。見侮者敗，立威者勝。凡將能其道者，吏畏其將也；吏畏其將者，民畏其吏也；民畏其吏者，敵畏其民也。是故知勝敗之道者，必先知畏侮之權。

凡將帥能其立威之道者，吏必畏懼其將也。將，指大將而言；吏，如春秋時上軍大夫、中軍大夫、下軍大夫、司馬及軍中有職掌者，皆是也。吏畏懼其將者，民必畏懼其百職事之吏也；民畏懼其吏者，敵人必畏懼其民也。

**譯文** 百姓沒有同時畏服敵我雙方的。畏服我方，則輕視敵方；畏服敵方，則輕視我方。被輕視的一方必然失敗，樹立威信的一方必然取勝。凡是將領，如果精於此道，下級官吏就會對他表示畏服；下級官吏畏服將領，百姓就會畏服官吏；百姓畏服官吏，敵人就會畏服這些百姓。所以，要想掌握勝敗的規律，就一定要先明白畏服與輕視之間的關係。

**原文** 夫不愛說其心者，不我用也；不嚴畏其心者，不我舉也。愛在下順，威在上立，愛故不二，威故不犯。故善將者，愛與威而已。

**譯文** 如果不能愛撫部下而使其心悅誠服，士卒就不能爲我所用；如果不能以嚴格治軍而使部下畏服，士卒就不能爲我所用。向部下施以愛撫，士卒就會順從；將領樹立威信，纔能在軍隊上層立足。愛撫士卒，士卒就會忠心不二；威震全軍，士卒就不會違反將令。所以，善於治軍的將領，衹要懂得愛撫部下和樹立威信這兩種手段就可以了。



**原文** 戰不必勝，不可以言戰；攻不必拔，不可以言攻。不然，雖刑賞不足信也。信在期前，事在未兆。故衆已聚不虛散，兵已出不徒歸。求敵若求亡子，擊敵若救溺人。

**譯文** 如果作戰不一定能夠取勝，就不要輕易提出作戰；攻城如果不一定能夠攻剋，就不要輕易提出攻城。否則，即使施行賞罰，也不足以取信於全軍。信譽要在作戰之前建立起來，事情要在出現徵兆之前預見。所以，兵衆已經聚集起來，就不要讓他們白白散去；軍隊已經出發，就不要無功而返。尋求敵人就像尋找丟失的孩子一樣志在必得，打擊敵人就像援救落水之人那樣快速果斷。

**原文** 分險者無戰心，挑戰者無全氣，鬥戰者無勝兵。

**譯文** 分兵守險的軍隊缺乏戰鬥意志，輕率地發出挑戰的軍隊沒有飽滿

的士氣，爭執吵鬧著出兵作戰的不是能夠取勝的軍隊。

【原文】凡挾義而戰者，貴從我起；爭私結怨，應不得已。怨結難起，待之貴後。故爭必當待之，息必當備之。

【譯文】凡是倚仗正義而作戰的，貴在主動發起進攻；爲爭奪私利而結下仇怨的，是不得已而應戰。因結下仇怨而興起禍難，這時應該等待時機，貴在後發制人。所以，戰爭興起以後，一定要等待時機；戰爭平息以後，一定要嚴加戒備。

【原文】兵有勝於朝廷，有勝於原野，有勝於市井。鬥則得，服則失，幸以不敗，此不意彼驚懼而曲勝之也。曲勝，言非全也。非全勝者，無權名。

【譯文】用兵打仗，有的勝在朝廷的謀劃，有的勝在農耕的發展，有的勝在市場的經營。戰鬥纔有取勝的可能，屈服於敵人則會導致失敗。即使僥幸不敗，也是由於敵人意外地出現驚懼而使自己勉強取得了局部勝利。局部勝利，就是說並非全面勝利。不是全面勝利，也就談不上有什麼深謀遠慮的名聲。



【原文】故明主戰攻日，合鼓合角，節以兵刃，不求勝而勝也。兵有去備徹威而勝者，以其有法故也，有器用之早定也。其應敵也周，其總率也極。故五人而伍，十人而什，百人而卒，千人而率，萬人而將，已周已極。其朝死則朝代，暮死則暮代。

【譯文】所以，英明的君主在作戰之日，會讓全軍的行動合乎戰鼓的指揮，兵器的使用符合規定的標準，這樣，雖然沒有強求勝利，最終卻能剋敵制勝。軍隊有故意解除戒備、消除軍威而取勝的，這是因爲平素治軍有方，而且武器裝備早已準備好。將領臨戰應敵之時的謀劃周全嚴密，手下各級軍官配置齊全。所以，軍中五人設置一名伍長，十人設置一名什長，百人設置一名卒長，千人設置一名率長，萬人設置一名大將，這樣的編制可謂周全、完備到了極點。全軍各級將領中如果有人早上傷亡，那麼早上就會有人接替；如果有

人晚上傷亡，那麼晚上就會有人接替。

【原文】權敵審將，而後舉兵。故凡集兵，千里者旬日，百里者一日，必集敵境。卒聚將至，深入其地，錯絕其道，棲其大城大邑，使之登城逼危，男女數重，各逼地形而攻要塞。據一城邑而數道絕，從而攻之。敵將帥不能信，吏卒不能和，刑有所不從者，則我敗之矣。敵救未至，而一城已降。

【譯文】認真分析敵情，慎重選擇將領，然後纔能出兵。所以，凡是集結軍隊，千里路程需要十天時間，百里路程需要一天時間，屆時一定要同時集結到敵國邊境。士卒聚齊，將領到位，然後便深入敵境，切斷敵軍要道，逼近敵國的大城邑，迫使敵人登上城樓，陷入窘境，城中的男女老少層層設防。這時，我軍就可以分兵逼近敵人的戰略要地，攻打軍事要塞。敵人困守孤城，交通要道又大都被我軍切斷，在這種情況下就可以向敵軍發動進攻。敵軍將領不能樹立威信，官吏和士卒又不能團結和睦，即便施行嚴刑峻法也不能使部下服從，在這種情況下，我軍就可以擊敗敵軍了。敵人的救兵還未趕到，整座城池就已經歸降了。

【原文】津梁未發，要塞未修，城險未設，渠答未張，則雖有城無守矣。遠堡未入，戍客未歸，則雖有人無人矣。六畜未聚，五穀未收，財用未斂，則雖有資無資矣。夫城邑空虛而資盡者，我因其虛而攻之。法曰：「獨出獨入，敵不接刃而致之。」此之謂也。

【譯文】敵軍渡口的橋梁沒有拆毀，要塞工事沒有修築，城池關卡沒有設置，障礙物沒有鋪設，在這種情況下，敵軍即便佔據了城池，也如同沒有設防一般。郊野的堡壘沒有軍隊進駐，戍守邊防的軍隊沒有返還，那麼敵軍即使有人，也如同無人一般。禽畜沒有集中起來，穀物沒有收割，財貨沒有徵收，那

塵敵軍即便物資豐富，也如同沒有一般。對於那些守備空虛而物資耗盡的城邑，我軍就可以乘其空虛，對其發起進攻。兵法上說：「獨往獨來的軍隊，敵人還未等與之交鋒，就已經被制服了。」說的就是這種情況。

## 守權第六

**原文** 凡守者，進不郭圉，退不亭障以禦戰，非善者也。豪傑雄俊，堅甲利兵，勁弩強矢，盡在郭中，乃收窖廪，毀折而入保，令客氣十百倍，而主之氣不半焉，敵攻者，傷之甚也。然而世將弗能知。

**譯文** 但凡防守，前進不能出城越境，後退不能固守亭障之類的據點，都算不上好的防守。英雄豪傑、精銳部隊、精良的武器以及強弩利箭全都集中在城郭之中，同時盡取城外地窖、糧倉裏的糧食物資，並拆毀民房，讓百姓進入城堡。這種消極防禦的辦法會使來犯之敵的氣勢增加百倍，而防守一方的氣勢則衰退過半。如果敵軍發動進攻，守軍就會傷亡慘重。然而，一般的將領認識不到這一點。

**原文** 夫守者，不失險者也。守法：城一丈，十人守之，工食不與焉。出者不守，守者不出。一而當十，十而當百，百而當千，千而當萬。故爲城郭者，非妄費於民聚土壤也，誠爲守也。千丈之城，則萬人之守。池深而廣，城堅而厚，士民備，薪食給，弩堅矢強，矛戟稱之。此守法也。

**譯文** 防守的一方，不能輕易捨棄險要地形。守城的方法是：城牆上每一丈距離要有十人防守，工匠和炊事人員不計算在內。擔任出擊任務的人員不參與防守，擔任防守任務的人員不參與出擊。防守作戰，一個人可以抵擋十個人，十個人可以抵擋上百人，百人可以抵擋上千人，千人可以抵擋上萬人。所以，修築城郭並不是隨意耗費百姓的財力來堆積土壤，而確實是爲了加強

力量，救援力量一定要大於防禦力量。如果城池堅固但救兵不可靠，那麼即便是愚蠢的男女，也都會守著牆垛哭泣，這是人之常情。一旦出現這種情況，即使立刻打開地窖、糧倉，發放糧食物資來救濟、安撫他們，也無法抑制這種悲觀情緒。

**原文** 必鼓其豪傑雄俊，堅甲利兵，勁弩強矢並於前，么麼毀瘠者並於後。十萬之軍頓於城下，救必開之，守必出之。出據要塞，但救其後，無絕其糧道，中外相應。此救而示之不誠，則倒敵而待之者也。後其壯，前其老，彼敵無前，守不得而止矣。此守權之謂也。

**譯文** 守衛城池，一定要鼓動英雄豪傑，動用精銳部隊，使用強弓利箭等精良的武器在前方奮戰，老幼病弱則承擔後方支援任務。十萬敵軍駐城下，救兵一定要打開包圍圈，守軍一定要主動出擊。守軍出擊搶佔要塞，援軍只



負責救援守軍的後方，保證運糧通道不被切斷，這樣城內城外便可以相互呼應。這是制造救援不積極的假象以蒙蔽敵人，從而擾亂敵人的戰鬥部署，守軍便可以等待合適的時機發動進攻了。敵軍把精銳部隊放在後面對付援軍，把老弱部隊放在前面攻打城池。在這種情況下，敵軍沒有精銳的前鋒，守軍也就不必固守，可以出城反擊了。這裏說的就是防守的謀略。

## 十二陵第七

**原文** 威在於不變；惠在於因時；機在於應事；戰在於治氣；攻在於意表；守在於外飾；無過在於度數；無困在於豫備；慎在於畏小；智在於治大；除害在於敢斷；得衆在於下人。

**譯文** 樹立威信，在於不輕易變更號令；佈施恩惠，在於利用最佳時機；靈活機變，在於因事制宜；對敵作戰，在於把握敵我雙方的士氣；攻擊敵人，

在於出其不意；守衛陣地，在於加強外部防禦；沒有過失，在於考慮周詳；不陷入困境，在於預先準備；行事謹慎，在於警惕小事；聰明睿智，在於處理好重大事務；剪除禍患，在於果敢決斷；贏得人心，在於謙恭待人。

**原文** **悔在於任疑；孽在於屠戮；偏在於多私；不詳在於惡聞己過；不度在於竭民財；不明在於受間；不實在於輕發；固陋在於離賢；禍在於好利；害在於親小人；亡在於無所守；危在於無號令。**

**譯文** 悔恨的產生，在於信任奸細；罪孽的產生，在於大肆屠殺；偏邪不正，在於私欲過多；不吉利，在於討厭聽別人指出自己的過錯；沒有節制，在於耗盡民財；昏庸不明，在於受人離間；徒勞無功，在於輕率行動；固執淺陋，在於遠離賢人；產生禍患，在於貪圖小利；產生災難，在於親近小人；國家滅亡，在於缺乏防守；出現危機，在於缺乏嚴明的號令。






## 武議第八

**原文** **凡兵，不攻無過之城，不殺無罪之人。夫殺人之父兄，利人之貨財，臣妾人之子女，此皆盜也。故兵者，所以誅暴亂，禁不義也。兵之所加者，農不離其田業，賈不離其肆宅，士大夫不離其官府，由其武議，在於一人。故兵不血刃而天下親焉。**

**譯文** 但凡用兵，不能攻打沒有過錯的城邑，不能屠殺沒有過錯的人。殺害別人的父兄，掠奪別人的財貨，使別人的子女淪爲自己的奴僕，這些都是強盜所爲。所以，用兵的目的是爲了誅滅暴亂，禁止不義。軍隊所到之處，農民不離開自己的田地，商人不離開自己的店鋪，官員不離開自己的府衙，這是因爲軍事謀略已經確定，只在於懲罰那罪大惡極的暴君一人。所以，軍隊的武器不必見血，天下人就都會來親附。

**原文** **萬乘農戰，千乘救守，百乘事養。農戰不外索權，救守**

不外索助，事養不外索資。

**譯文** 萬乘之國應當致力於農耕征戰，千乘之國應當致力於自救防守，百乘之國應當致力於養育家小。致力於農耕征戰，大國就不必對外索求強權；致力於自救防守，中等國家就不必對外索求幫助；致力於養育家小，小國就不必對外索求財源。

**原文** 夫出不足戰，入不足守者，治之以市。市者，所以給戰守也。萬乘無千乘之助，必有百乘之市。

**譯文** 財力匱乏，出兵不足以支撐作戰，收兵不足以支撐防守的國家，應當經營好市場貿易。市場貿易的收入，是用來爲出戰、防守提供物質保障的。萬乘之國可以沒有千乘之國的幫助，但一定要有收入相當於百乘軍賦的市場。

**原文** 凡誅者，所以明武也。殺一人而三軍震者，殺之；賞一人而萬人喜者，賞之。殺之貴大，賞之貴小。當殺而雖貴重必



殺之，是刑上究也；賞及牛童馬圉者，是賞下流也。夫能刑上究，賞下流，此將之武也。故人主重將。

**譯文** 凡是實施刑罰，都是爲了彰明軍威。如果殺掉一個人能使全軍震動，就殺掉他；如果獎賞一個人能使萬人歡喜，就獎賞他。殺戮貴在觸及大人物，獎賞貴在惠及小人物。如果按罪當殺，即使此人位高權重也一定要處決，這是刑罰追究到了上層；給有功的放牛童、養馬人施以賞賜，這是獎賞惠及了下層。能夠做到刑罰追究到上層、獎賞惠及下層，這就是將領的威武。所以，君主應當重視將領的作用。

**原文** 夫將提鼓揮枹，臨難決戰，接兵角刃，鼓之而當，則賞功立名；鼓之而不當，則身死國亡。是存亡安危，在於枹端，奈何無重將也！夫提鼓揮枹，接兵角刃者，此將軍也。君以武事成功者，臣以爲非難也。

**譯文** 將領揮槌擊鼓指揮軍隊，面臨危難與敵人決戰，兵刃相接，全力搏殺。如果將領指揮得當，就會建立功業；如果指揮不當，就會身死國亡。這意味著國家的存亡安危就在於將領手中的鼓槌，怎麼會不重視將領的作用啊！揮槌擊鼓指揮軍隊，與敵人交兵，這就是將領的職責。君主依靠武力成就功業，臣下認爲並不困難，關鍵在於選擇將領。

**原文** 古人曰：「無蒙衝而攻，無渠答而守。」是爲無善之軍。視無見，聽無聞，由國無市也。夫市也者，百貨之官也。市賤賣貴，以限士人。人食粟一斗，馬食菽三斗，人有飢色，馬有瘠形，何也？市有所出而官無主也。夫提天下之節制，而無百貨之官，無謂其能戰也。

**譯文** 古人說：「沒有蒙衝卻要貿然進攻，沒有渠答卻要實施防守。」這裏所說的都是不善於作戰的軍隊。士卒餓得眼睛看不見東西，耳朵聽不到聲



音，是因爲國都中沒有由政府管理的市場。市場，是各種貨物集散交易之所。商人將貨物低價買進高價售出，就使士卒和百姓陷入窘境。按照規定，每人每天有一斗口糧，每匹馬每天有三斗豆料，儘管如此，人們還是面帶飢色，馬匹還是外形瘦弱，這是爲什麼呢？這是因爲市場上雖然有糧食賣出，但是卻沒有設置管理機構。統轄全國的軍隊，卻不能設置管理市場的機構，這就算不得善於作戰。

**原文** 起兵，直使甲胄生蝨者，必爲吾所效用也。鷙鳥逐雀，有襲人之懷、入人之室者，非出生也，後有憚也。

**譯文** 起兵出戰，士兵即使甲胄生出蝨子，也必定能夠爲我效命。這就如同猛禽追逐雀鳥，有的雀鳥竄入人的懷中，有的雀鳥飛入屋子裏，這並非出自它們的本性，而是因爲懼怕身後追來的猛禽纔慌不擇路。

**原文** 太公望年七十，屠牛朝歌，賣食盟津，過七年餘而主不

## 學而第一

子曰：「學而時習之，不亦說乎？有朋自遠方來，不亦樂乎？人不知而不慍，不亦君子乎？」

有子曰：「其為人也孝弟，而好犯上者，鮮矣；不好犯上，而好作亂者，未之有也。君子務本，本立而道生。孝弟也者，其為仁之本與！」

子曰：「巧言令色，鮮矣仁！」

曾子曰：「吾日三省吾身：為人謀而不忠乎？與朋友交而不信乎？傳不習乎？」

子曰：「道千乘之國，敬事而信，節用而愛人，使民以時。」

子曰：「弟子入則孝，出則弟，謹而信，汎愛眾，而親仁。行有餘力，則以學文。」

子夏曰：「賢賢易色；事父母能竭其力；事君能致其身；與朋友交，言而有信。雖曰未學，吾必謂之學矣。」

子曰：「君子不重則不威，學則不固。主忠信，無友不如己者，過則勿憚改。」

曾子曰：「慎終追遠，民德歸厚矣。」

## 為政第二

子曰：「為政以德，譬如北辰，居其所而眾星共之。」

子曰：「詩三百，一言以蔽之，曰：『思無邪。』」

子曰：「道之以政，齊之以刑，民免而無恥；道之以德，齊之以禮，有恥且格。」

子曰：「吾十有五而志於學，三十而立，四十而不惑，五十而知天命，六十而耳順，七十而從心所欲，不踰矩。」

聽，人人之謂之狂夫也。及遇文王，則提三萬之衆，一戰而天下定，非武議安得此合也？故曰：良馬有策，遠道可致；賢士有合，大道可明。

**譯文** 太公望七十歲的時候，曾在朝歌以宰牛爲生，曾在盟津以賣飯爲業。這樣過了七年多，他還是沒有得到君主的重用，人人都稱他爲狂人。等到遇見了周文王，他便率領三萬人馬，經過一場戰鬥便使天下安定。如果沒有軍事謀略，他又怎麼能夠得到這樣的機會呢？所以說：良馬得到鞭策，纔可以到達遥遠的地方；賢士得到機遇，纔可以彰明大道。

**原文** 武王伐紂，師渡盟津，右旄左鉞，死士三百，戰士三萬；紂之陳億萬，飛廉、惡來，身先戟斧，陳開百里。武王不罷士民，兵不血刃而克商誅紂，無祥異也，人事修不修而然也。今世將考孤虚，占咸池，合龜兆，視吉凶，觀星辰風雲之變。欲以成勝立功，臣以爲難。



**譯文** 當初周武王討伐商紂王，率領軍隊渡過盟津。他右手拿著帥旗，左手拿著鉞，手下有敢死之士三百人，善戰的士卒三萬人。商紂王陳兵數十萬，他手下的大將飛廉和惡來手持戟斧衝在前面，軍陣開列百里。周武王沒有使士卒和百姓勞累，也沒有經過激烈的流血戰爭，就一舉滅掉了商朝，殺死了紂王。這並不是由於上天降下吉祥或者災禍，而是由於人事治理得好壞造成的。如今，世上的一般將領只知道研究時日的好壞，估斷星象的順逆，驗合龜卜的預兆，審視吉凶禍福，觀察星辰、風雲的變化。如果想憑藉這些手段建功立業，臣下認爲難以如願。

**原文** 夫將者，上不制於天，下不制於地，中不制於人。故兵者，凶器也；爭者，逆德也；將者，死官也。故不得已而用之。無天於上，無地於下，無主於後，無敵於前。一人之兵，如狼如

虎，如風如雨，如雷如霆，震震冥冥，天下皆驚。

**譯文** 身爲將領，應當上不受制於天，下不受制於地，中不受制於人。軍隊，是凶險之器；戰爭，是違逆道德的行爲；將領，是使人喪命的官職。所以，祇有到了迫不得已的時候，纔能動用軍隊。用兵之時，將領就應該上不受制於天，下不受制於地，中不受制於後方的君主和前方的敵人。整支軍隊就像一個人那樣團結統一，如虎狼般凶猛，如風雨般迅捷，如雷霆般猛烈、突然，聲勢浩大而又幽深難測，令天下人爲之震驚。

**原文** 勝兵似水。夫水至柔弱也，然所觸丘陵，必爲之崩，無異也，性專而觸誠也。今以莫邪之利，犀兕之堅，三軍之衆，有所奇正，則天下莫當其戰矣。故曰：舉賢用能，不時日而事利；明法審令，不卜筮而獲吉；貴功養勞，不禱祠而得福。又曰：天時不如地利，地利不如人和。古之聖人，謹人事而已。

周武王鹿臺散財

鹿臺，商紂王所建的宮苑，建造過程中死傷人丁無數，百姓們怨聲載道。周武王伐紂時，紂王戰敗逃到鹿臺，後來自焚而死，周武王「散鹿臺之財，發巨橋之粟，以振貧弱萌隸」。

周武王興兵討伐[illegible]，商紂王所建[illegible]的[illegible]，遭[illegible]中[illegible]死傷人[illegible]無數，百姓們怨聲載道。周武王伐紂時，紂王兵敗[illegible]，到鹿臺，放火自焚而死。周武王一舉奪[illegible]下，後人尊之為[illegible]「以[illegible]」。

虎，知風知雨，知雷知霆，[illegible]，天下莫當。

【[illegible]】身為將帥，應當上不受制於天，下不受制於地，中不受[illegible]

移。是以[illegible]

以，[illegible]用軍隊。用兵[illegible]

制於天，下不受制於地，中不受制於[illegible]敵人。

象一個人那樣團結一致，如虎狼般[illegible]，如風雨般[illegible]，如雷

[illegible]又為深淵，今天下人為之震驚。

【[illegible]】勝兵似水。夫水至柔弱者也，然所觸丘陵，必為之崩，無異也，性專而觸誠也。今以莫邪之利，犀兕之堅，三軍之眾，有所奇正，則天下莫當其戰矣。故曰：舉賢用能，不時日而事利；明法審令，不卜筮而獲吉；貴功養勞，不禱祠而得福。又曰：天時不如地利，地利不如人和。古之聖人，謹人事而已。

譯文　取勝的軍隊就像流水一樣。水是天下最爲柔弱的東西，然而在它的沖擊下，大山也必然會崩潰。這沒有其他特殊原因，衹是因爲水性專一並且沖擊持久。現在如果使用莫邪那樣鋒利的寶劍，身穿犀牛皮製成的堅固鎧甲，全軍將士又能巧妙地運用奇正之術，那麼天下就沒有人能夠抵擋這支軍隊了。所以說：舉薦賢士，任用能人，不必選擇良辰吉日，事情也會順利；彰明法度，嚴密地發佈號令，不必通過卜筮手段預測，事情也會吉利；尊崇戰功，優待勞作，不必祈禱就可以得到福祉。又有這樣一種說法：天象有利不如地理條件優越，地理條件優越不如人事和諧。聖人所看重的，不過人事而已。

原文　**吳起與秦戰，舍不平隴畝，樸樕蓋之，以蔽霜露。如此何也？不自高人故也。乞人之死不索尊，竭人之力不責禮。故古者甲胄之士不拜，示人無己煩也。夫煩人而欲乞其死，竭其力，自古至今，未嘗聞矣。**



譯文　吳起與秦軍交戰，宿營時不剷平田埂，衹是用小樹蓋頂以遮擋霜露。爲什麼要這樣做呢？這是爲了表示他從不自視高人一等的緣故。要求別人獻身就不要苛求別人對自己恭敬，要求別人盡力就不要苛求別人對自己彬彬有禮。所以，古代身穿甲胄的將士不行跪拜之禮，是爲了向人表示不要因爲自己是主將而給全軍造成麻煩。麻煩別人的同時又要求別人爲自己獻身，爲自己竭盡全力，這樣的事從古至今都沒聽說過。

原文　**將受命之日忘其家，張軍宿野忘其親，援枹而鼓忘其身。吳起臨戰，左右進劍。起曰：「將專主旗鼓爾！臨難決疑，揮兵指刃，此將事也；一劍之任，非將事也。」**

譯文　將領接受君命之日，要忘掉自己的家室；列陣宿營之時，要忘掉自己的父母；揮槌擊鼓之時，要忘掉自身的安危。吳起臨戰之時，身邊侍從遞過來一把寶劍。吳起說：「將帥專門負責掌管旗鼓，指揮作戰！遇到危險疑

難問題，作出決斷，指揮軍隊行動，這是將帥的職責；拿著一把寶劍上陣拚殺，不是將帥應該承擔的任務。」

**原文** 三軍成行，一舍而後成三舍，三舍之餘，如決川源。望敵在前，因其所長而用之，敵白者堊之，赤者赭之。

**譯文** 三軍列陣整齊之後，每天出發一軍，前進三十里。三天之後，三軍已全部出發，這時就形成了前後長達九十里的陣營。長達九十里的陣營排好之後，全軍就像河川源頭決口那樣勢不可擋。觀察前方的敵人，根據對方的特點而採取相應的策略。如果敵人用白色標記，我軍也用白色標記；如果敵人用紅色標記，我軍也用紅色標記，這樣就能夠以假亂真。

**原文** 吳起與秦戰，未合，一夫不勝其勇，前獲雙首而還。吳起立斬之。軍吏諫曰：「此材士也，不可斬。」起曰：「材士則是矣，非吾令也。」斬之。

**譯文** 吳起率領軍隊與秦軍交戰，還未交鋒，就有一個人克制不了自己的勇敢，獨自上前斬獲兩個敵軍首級，然後返回軍陣。吳起當即下令將他斬殺。軍中的執法官吏勸諫道：「這是個武藝超群的勇士，不宜斬殺。」吳起回答道：「他固然是一位勇武之士，但是他違反了我的命令。」於是下令將其斬殺。

## 將理第九

**原文** 凡將，理官也，萬物之主也，不私於一人。夫能無私於一人，故萬物至而制之，萬物至而命之。

**譯文** 凡是將領，都擔當著刑法官員的責任，是各種事務的主宰，不對任何一個人有所偏私。如果能夠做到不對任何人有所偏私，那麼各種事務到了他那裏都能夠得到有效裁決，各種事務到了他那裏都能夠得到有效處理。

**原文** 君子不救四於五步之外，雖鉤矢射之，弗追也。故善審四之情，不待箠楚，而四之情可畢矣。笞人之背，灼人之脅，束

今世諺有云：有千金者不死，有百金者不刑。言以賄賂而求免刑罰也。試聽用臣之術，使人雖有堯舜之大智，不能一言；家雖有萬金之富，不能用一誅；言智無所施而金無所用也。

人之指，而訊囚之情，雖國士有不勝其酷而自誣矣。

譯文　君子不會在沒有當面審訊的情況下輕率地釋放囚徒；同時也不公報私仇，就像齊桓公對待管仲那樣，即使對方一箭射中自己的帶鉤，也不會去追究。所以，善於審理囚犯案情的人，不必等待用刑，囚犯的案情就可完全弄清。如果依靠鞭打囚犯的背脊、燙燒囚犯的脅部、夾囚犯的手指等手段獲知囚犯的案情，那麼即使是英雄豪傑也會因爲忍受不了酷刑而自我誣陷。

原文　**今世諺云：「千金不死，百金不刑。」試聽臣之言，行臣之術，雖有堯舜之智，不能關一言；雖有萬金，不能用一銖。**

譯文　如今世上有這樣一句諺語：「千金可以免死，百金可以免刑。」如果聽從臣下的建議，採用臣下的方法，即使有唐堯、虞舜那樣的智慧，也不能爲囚犯說一句打通關節的話；即使有萬金資財，也不能動用一銖去行賄。



原文　**今夫繫者，小圄不下十數，中圄不下百數，大圄不下千數。十人聯百人之事，百人聯千人之事，千人聯萬人之事。所聯之者，親戚兄弟也，其次婚姻也，其次知識故人也。是農無不離其田業，賈無不離其肆宅，士大夫無不離其官府。如此關聯良民，皆囚之情也。《兵法》曰：「十萬之師出，日費千金。」今良民十萬，而聯於囹圄。上不能省，臣以爲危也。**

譯文　如今在押的囚犯，小監獄裏關押的不下數十人，中等監獄關押的不下數百人，大監獄關押的不下數千人。十個人牽連到一百個人的事，一百個人牽連到一千個人的事，一千個人牽連到上萬人的事。所牽連的對象，首先是父母、兄弟，其次是聯姻的親家，再次是熟人、故交。這樣一來，受到牽連的農民無不離開田地，受到牽連的商人無不離開商鋪，受到牽連的官吏無不離開府衙。像這樣株連良民，完全是刑拘的眞實情況。《兵法》中說：「十萬大軍出發，每天要用掉千金軍費。」如今十萬良民都因爲受到株連而身陷囹

圖，統治者卻不能明察此事，臣下認爲這是非常危險的。

# 卷第三

## 原官第十

原文　官者，事之所主，爲治之本也。制者，職分四民，治之分也。貴爵富祿，必稱，尊卑之體也。好善罰惡，正比法，會計民之具也。均地分，節賦斂，取與之度也。程工人，備器用，匠工之功也。分地塞要，殄怪禁淫之事也。

譯文　設置官員作爲各種事務的主宰，是治國的根本方法。建立官制，根據職責分管士、農、工、商四類人，這是治國分工的需要。高貴的爵位、優厚的俸祿必須同本人的政績相稱，這是確定尊卑的基礎。獎勵善行，懲罰惡行，整飭比法，這是統計民情的工具。平均分配土地，控制賦稅的徵收，這是經濟收支的尺度。考核工人，製備各種器物，這是熟練工匠的作用。劃分地域，設置關卡，這是禁絕怪異、奢侈物品的措施。




原文　守法稽斷，臣下之節也。明法稽驗，主上之操也。明主守，等輕重，臣主之權也。明賞賚，嚴誅責，止奸之術也。審開塞，守一道，爲政之要也。下達上通，至聰之聽也。

譯文　遵守法度，考查決斷，這是臣下的職責。彰明法度，核查執行情況，這是君主操持的事務。明確自己主管的事務，統一賞罰標準，這是臣子和君主都應該具備的權謀。彰明獎賞制度，嚴格執行懲罰措施，這是抑制奸邪的方法。研究並申明鼓勵和禁止的對象，堅守專一的耕戰方針，這是執政的要務。上情下達，下情上通，這是君主獲知消息最靈敏的狀態。

原文　知國有無之數，用其仂也。知彼弱者，強之體也。知彼動者，靜之決也。官分文武，惟王之二術也。

譯文　掌握國中財產的多少，是保證財用有餘的前提。掌握敵人的弱點，是確保自身強大的基礎。掌握敵人的動向，是我軍沈著應戰的關鍵。官職區分文臣與武將，是君王治國的兩個條件。

原文　**俎豆同制，天子之會也。遊說間諜無自入，正議之術也。諸侯有謹天子之禮，君民繼世，承王之命也。更號易常，違王明德，故禮得以伐也。官無事治，上無慶賞，民無獄訟，國無商賈，成王至正也。明舉上達，成王至德也。**

譯文　俎豆等禮器有相同的規格，是天子朝會諸侯的需要。杜絕遊說之士和間諜打入內部，這是保證謀劃正確無誤的方法。諸侯要謹遵天子規定的禮制，如果諸侯中有立爲國君、父死子襲者，都要接受天子的策命。變更名號，改變常法，違反天子的聖明之德，這就是可以按照禮制進行討伐的對象。官府没有需要處理的事務，君主没有需要頒發的獎賞，百姓没有訴訟糾紛，國

俎豆禮容

俎豆等禮器有相同的規格。孔子五六歲時，和兒童做遊戲，擺上俎豆等禮器，演習禮儀。

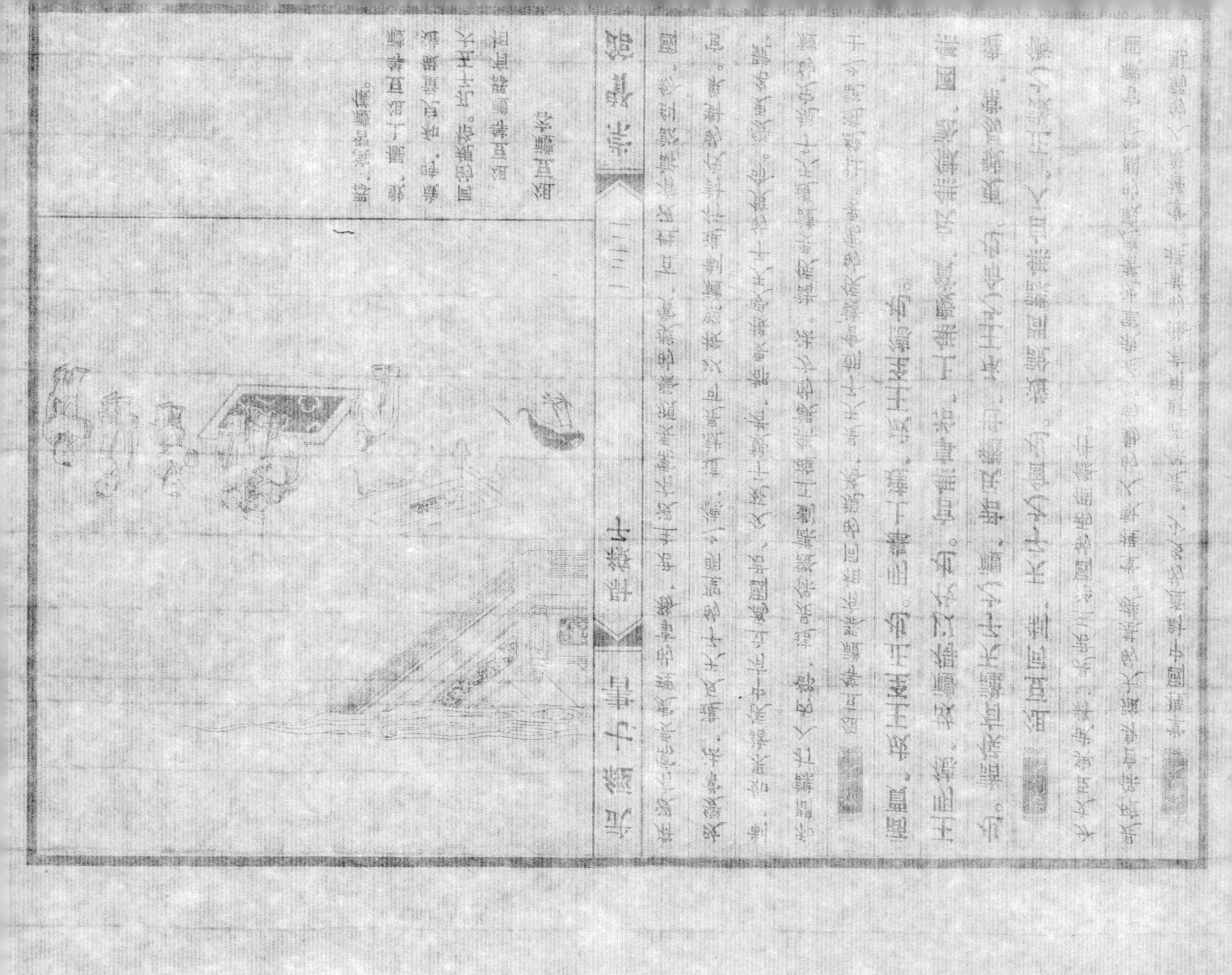

都沒有商業活動，這是成就王政的最高理想。臣下將這些事情明明白白地陳述給君上，是爲了幫助君上成就至善至美的德業。

## 治本第十一

原文

**夫治人者何？曰：非五穀無以充飢，非絲麻無以蓋形。故充飢有粒，蓋形有縷。夫在芸耨，妻在機杼，民無二事，則有儲蓄。夫無雕文刻鏤之事，女無繡飾纂組之作。**

譯文

治理百姓應該注意什麼呢？回答是：沒有五穀就不能充飢，沒有絲麻就不能蔽體。所以首先應該注意，充飢一定要有糧食，蔽體一定要有布帛。丈夫在田間耕耘，妻子在織布機前織布，除此之外百姓不再從事別的工作，就會有一定的積蓄。所以，男子不要去做繪畫雕琢的事，女子不要去做刺繡織錦的事。

原文

**木器液，金器腥，聖人飲於土，食於土，故埏埴以爲器，天下無費。今也金木之性不寒，而衣繡飾；馬牛之性食草飲水，而給菽粟。是治失其本而宜設之制也。**





譯文

木製器具容易滲漏，金屬器具有腥味。古代聖人喝的水來源於土中，喫的食物也來源於土中，故而用水調和黏土製成陶器，這樣一來天下就沒有什麼東西會被浪費掉了。如今，金屬器具和木製器具的本性並不知道寒冷，卻披上了錦繡；牛馬本性是喫草喝水，卻給它們提供豆料和稻穀。這樣治國就失去了立國之本，對此，應該建立必要的制度。

原文

**春夏夫出於南畝，秋冬女練於布帛，則民不困。今短褐不蔽形，糟糠不充腹，失其治也。古者土無肥墝，人無勤惰，古人何得，而今人何失邪？耕有不終畝，織有日斷機，而奈何寒飢！蓋古治之行，今治之止也。**

譯文

春夏兩季，男子到田間耕作；秋冬兩季，女子在家中從事紡織工作。這樣，百姓就不會貧困。如今，百姓身上的粗陋短衣服不能蔽體，喫酒糟、穀

今也金木之性，不知有寒而皆衣之以繡飾；馬牛之性，但知食草飲水而皆給以菽粟。當時魏侯僭王，上下習以奢侈，金木之器，衣以繡飾，馬牛皆給菽粟，尉繚故言此是國家之治失其根本，而宜設制以禁之也。

糠塡不飽肚子，這是因爲統治者喪失了治國之道。古時土地的肥沃與貧瘠跟今天相比並沒有什麼差別，百姓的勤勞與懶惰跟現在人相比也沒有什麼不同，可是爲什麼古人豐衣足食，而今人卻難求溫飽呢？如今，男人耕種，卻沒能耕完土地；女人紡織，卻時常停下織機。像這樣勞作，又怎能不忍飢受凍！這都是因爲正確的治國之道在古代得以施行，在今天卻中止而不能施行的緣故。

**原文** 夫謂治者，使民無私也。民無私則天下爲一家，而無私耕私織，共寒其寒，共飢其飢。故如有子十人不加一飯，有子一人不損一飯，焉有喧呼酖酒以敗善類乎？民相輕佻，則欲心與，爭奪之患起矣。橫生於一夫，則民私飯有儲食，私用有儲財。民一犯禁而拘以刑治，烏有以爲人上也？

**譯文** 所謂的治國之道，是使百姓不謀私利。百姓不謀私利，天下人就會像一家人一樣，不再自家耕種、自家紡織。人們都把別人的寒冷當成自己的



寒冷，把別人的飢餓當成自己的飢餓。所以，即使一戶人家有十個孩子，也不會給父母增加一頓飯；一戶人家衹有一個孩子，也不會給父母減少一頓飯。這樣的話，哪裏還會有人喧嘩吵鬧、酗酒作樂來敗壞良家子弟呢？百姓輕薄放蕩，就會產生貪欲，相互爭奪的禍患也會隨之而來。橫逆之行來源於暴君一個人，那麼百姓就要爲了使自己能夠喫上飯而私自儲備糧食，爲了使自己有足夠的生活費用而私自儲備財貨。可是，百姓一旦違反禁令，就要被拘捕，並受到刑罰處治。這樣的君主，哪裏有高高在上統治百姓的資格呢？

**原文** 善政執其制，使民無私。爲下不敢私，則無爲非者矣。反本緣理，出乎一道，則欲心去，爭奪止，囹圄空，野充粟多，安民懷遠。外無天下之難，內無暴亂之事，治之至也。

**譯文** 良好的政治在於執行法制，使百姓不謀私利。下層民衆不敢謀求私利，就不會有那麼多爲非作歹的人了。回歸農耕本業，遵循無私的道理，糧

食、財產衹能從耕織中獲取。這樣，貪欲就會消除，爭奪就會停止，監獄就會空閒。田野里長滿莊稼，糧食充足。安撫治下的百姓，懷柔遠方之人。境外沒有鄰國騷擾之患，境內沒有叛亂暴動之事，這就是治國的最高境界。

**原文** 蒼蒼之天，莫知其極。帝王之君，誰爲法則？往世不可及，來世不可待，求己者也。

**譯文** 蒼茫的天空，沒有人知道它的盡頭。古代那些聖明的帝王，有誰能夠作爲可以倣法的楷模？過去的時代已經無法追回，未來的時代不能空自等待，衹有憑藉自己的努力去開創事業。

**原文** 所謂天子者四焉：一曰神明，二曰垂光，三曰洪敘，四曰無敵。此天子之事也。

**譯文** 所謂的天子要具備四個條件：一是神聖英明；二是普降恩惠；三是等級有序，賞罰分明；四是英武無敵。這正是天子應該做到的事情。



**原文** 野物不爲犧牲，雜學不爲通儒。

**譯文** 野生動物不能作爲祭品，學術雜糅之人不能算作通儒。

**原文** 今說者曰：「百里之海，不能飲一夫；三尺之泉，足止三軍渴。」臣謂欲生於無度，邪生於無禁。

**譯文** 如今有人說：「百里寬的大海，不夠一個貪得無厭的人飲用；三尺深的泉水，卻足以讓全軍將士解渴。」臣下認爲，貪欲源於沒有節制，邪惡源於沒有禁令。

**原文** 太上神化，其次因物，其下在於無奪民時，無損民財。夫禁必以武而成，賞必以文而成。

**譯文** 最高境界的政治是用精神力量感化民衆；其次是憑藉已有的事物，因勢利導；下一層的策略是不誤農時，不耗損民財。禁令一定要依靠暴力纔能奏效，獎賞一定要依靠文德纔能完成。